ひらかな盛衰記

ひらがなせいすいき

義太夫節浄瑠璃未翻刻作品集成 75

義太夫節正本刊行会 編

玉川大学出版部

表紙図版　義太夫節浄瑠璃全盛期の竹本座と豊竹座
（早稲田大学演劇博物館蔵『竹豊故事』より）

刊行にあたって

浄瑠璃が板本として出版され始めてから、ほぼ四百年の時が経つ。その間に刊行された作品は千数百点にも達するであろう。わが国の代表的劇作家近松門左衛門の極く初期の作品を以て、古浄瑠璃と当流（新）浄瑠璃とに二分するのが浄瑠璃史の定説であるが、古浄瑠璃時代の作品（約五百点）は全てといってよいほど活字化されている。当流浄瑠璃となると、近松を初め、紀海音、錦文流、西沢一風、福内鬼外、菅専助の六作者に関してはそれぞれ全集が刊行されているが、それ以外の作者のものは文学全集等に収められた名作と称されるものに限られている。活字化された作品が極めて少ないのが現状である。

近代になると明治維新以前の書物が活字化されることとなる。この潮流の中に浄瑠璃名作も含まれ、その数は少なくない。だが名作の重複といわざるをえない。

近世芸能の浄瑠璃は近代になっても文楽の名のもと、舞台の芸能として隆盛を続けた。大阪という一都市に限らず、全国に文楽人口は充ち満ちていたといっても過言ではない。文楽を支える人口の相当数は浄瑠璃を習得する人口とも合致した。文楽は太夫、三味線、人形の三業によって成り立つ芸能であるが、太夫と三味線だけで浄瑠璃を聞かせること、今でいう素浄瑠璃でも十分満足できる。玄人は素浄瑠璃の会を開催する。素人もまた己の芸を披露することを試みる。これは浄瑠璃が音曲として勝れた表現技法を会得していることによるが、さらにいえば語られる内容が聴く者の心を揺り動かすためである。言葉を替えていえば文学としての鑑賞にも十分耐え得る内容を浄瑠璃が備えているということであろう。

浄瑠璃が語られ始めてさほど時を経ぬ時代から、文学として享受された記録は、全国各地に拾うことが出来る。何故か。手短にいおう。浄瑠璃は近世庶民の倫理観、人生観を構築していく上で必読書であった。それ故に近代の出版物に多く含まれたのである。

近世から近代まで、わが国の一般庶民に愛好された浄瑠璃、そこで展開された思想は、血肉となって伝えられたといってもよい。現代は如何であろうか。断絶があるという外はない。理由は浄瑠璃との接触の機が非常に薄くなったためである。この不幸な状況を打破すべく、私どもは義太夫節正本刊行会を平成十年に組織して活動を始めた。未翻刻作品を世に送り出し、あわせて戦前に翻刻があるものの手に入りにくく、今や未翻刻と同様の作品も対象とすることとした。

先に述べた古浄瑠璃の作品や浄瑠璃作者の全集は学術出版の形をとったが、ここに提供する「集成」は、誰もが一度は手にとらねばならなかった小・中学校の教科書を意識した造本にした。近代日本における個性あふれる教育機関として知られる玉川大学の出版部において、この「集成」が世に出ることも、何かの巡り合わせではなかろうか。このことは会員一同の喜びでもあり、今は読者の一人でも多からんことを祈る気持ちである。

右は第一期刊行時の趣意に多少の手を加えたもので、今も当初の意識を持続している。

第二期に至り賛同した数人の若い研究者の参加を得、第三期以降は更に賛同者を増加した。刊行会の発展の上でも心強く、学問の継承の上でも、大変喜ばしいことである。

＊

ここまでが、第七期の刊行決定直後に、ご他界なさった鳥越文蔵先生のご執筆によるものである。
今回も、「集成」の続刊を準備する間に、日本学術振興会から令和四年度・五年度科学研究費補助金及び令和六年度学術研究助成基金助成金の交付を受け、浄瑠璃正本の調査、デジタル・アーカイブ拡充に向けてのデータ作成を進めることができた。さらに日本学術振興会令和六年度科学研究費補助金研究成果公開促進費の助成にも恵まれたので、引き続き玉川大学出版部により「義太夫節浄瑠璃未翻刻作品集成」第八期として、十一作を刊行する運びとなった次第である。
なお、第八期の原稿作成最中の令和四年に、正本刊行会において長くご指導くださった内山美樹子先生が逝去された。先生からは「集成」の収載作品として、戦後数十年間に刊行された文学全集等に収載された作品も近年では入手しにくくなってきたことを鑑み、それらに収載された翻刻作品も改めて取り上げるべきとの方針をお示しいただいた。本研究会はその方針にのっとり、今期以降作品を選定していくこととした。

終わりにこの「集成」刊行にあたって底本を提供してくださった、大倉集古館、国立劇場、松竹大谷図書館、天理大学附属天理図書館、東京都立中央図書館加賀文庫、文楽協会豊竹山城少掾文庫、早稲田大学演劇博物館、諸本の閲覧を許された所蔵者・機関各位に篤く御礼を申し上げる。

令和六年　六月

義太夫節正本刊行会

目次

凡例

一、底本　出来得る限り初板初摺の七行本を用いた。

一、作品名　内題によった。

一、校訂方針　底本を忠実に翻刻することを原則としたが、次のような校訂を施した。

1　丁付　丁移りの箇所は本文中に「（　）」を施し、その中に実丁数を洋数字で示し、表「オ」、裏「ウ」の略号を付した。

2　文字　①平仮名、片仮名とも現行の字体を用いた。

②常用漢字表、人名漢字表に収録されているものはその字体を使用することを原則とした。ただし、一部底本の表記に従って複数の字体を使用したものもある。

（例）回／廻　食／喰　杯／盃　竜／龍　涙／涕　婿／壻／聟

③特殊な略体・草体・合字などは表記を改めた。

（例）

ゟ↓より　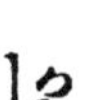↓かしく　↓まゐる　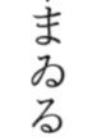↓さま

④踊字は、原則として平仮名は「ゝ」、片仮名は「ヽ」、漢字「々」に統一した。ただし「〱」は底本のままとした。

⑤仮名遣い、清濁、誤字、衍字は底本のとおりとした。

⑥＊は原本の「ママ」の意であるが、極力付さないこととした。

3　譜　墨譜は全て省略したが、文字譜は全て採用し、本文行の右、または振り仮名の右の適切と思われる位置に付した。

4　太夫　語る太夫を指定した略号は、それを「□」で囲い、文字譜の位置に付した。

5　句点　「。」で統一した。

6　破損　底本が破損などにより判読不能の場合は、同板の他本により補ったが、一々断ることはしなかった。

7　改行　本文は曲節等を配慮して適宜改行した。

一、解題　底本の書誌、番付・絵尽の有無（『義太夫年表　近世篇』に依拠）、初演年・劇場、主要登場人物、梗概で構成し、補記として校異本に触れることもある。

ひらかな盛衰記

逆櫓松 矢箙梅 ひらかな盛衰記

謡詞 比《ころ》は元暦《げんりやく》元年正月廿日。朝日《あさひ》将軍《しやうぐん》木曽《きそ》義仲《よしなか》。悪逆《あくぎやく》日々に盛《さかん》なる。都の騒動《さうどう》しづめよと。ハル 鎌倉殿の下知《げぢ》を請《うけ》。詞 大手の大将蒲《かば》の冠《くはんじや》者範頼《のりより》。勢田《せた》をさして責上《せめのぼ》る。搦《からめて》手の大将には九郎御ン曹子《ざうし》義経《よしつね》。伊勢路《いせぢ》を越て上洛《しやうらく》有ル ヲロシ 〽心ぞ剛《かう》に。ハル たくましし。

地中 付キ従《したが》ふ輩《ともがら》ウ には佐々木《さゝき》の四郎高綱《つな》。ウ 畠《はたけ》山の次郎重忠《しげたゞ》ウ 和田の小太郎義盛《よしもり》。ウ 侍《さふらひ》大将は梶原《かぢはら》ハル 平三景時《かげとき》色。ウ 其勢二万五（1オ）千ン余騎《よき》中。甲の星《ほし》をいたゞきて夜ル昼《ひる》小ヲクリ。分《わか》ぬ旅なれどいさむ駅路《ゑきろ》ウ の鈴鹿《か》山。本フシ 去年《こぞ》のゆかりと ハル消残《きへ》る。雪の戸ざしの梺《ふもと》の関《せき》。八十瀬《やそせ》につゞく加太《かたい》山ン。川を越ては山路にかゝり。山を越れば川瀬にひたり。西へ〳〵となびく旗手《はたて》に。東風《こち》がしらする風の森《もり》。あけの玉垣《がき》見へたるはいか成神かしらにぎて。敵追討《てきついたう》を祈《いの》らんと。暫《しばら》く床几《しやうぎ》立させて皆《みな》々。やすらひ給ひける。

詠《ながむ》れば。山より山の山道を。腰《こし》もふたへの老《おひ》の杣杖《そまつへ》を便リにとぼ〳〵と。岨《そは》をつたひてあゆみくる。大将見給ひあの杣《そま》めせと有ければ。和田の義盛承《よしもりうけたまは》り。ヤア〳〵老人（1ウ）大将のめさるゝぞ。早々《はや〳〵》是へと招《まね》かれて。はつと計に老人は御前間近く畏《かしこま》る。義経仰《おほせ》出さるゝは。山人なれば案内はしつつらん。是より宇治へ出んには。近道《ちかみち》有やと問《とい》給へば。ハア心安キ事のお尋や。御覧《らん》遊ばせ西に見へたる平岡《ひらおか》をば。あらた山と申シ夫レより先キに。頸落《くびおち》の滝《たき》といふ所を行んには近道にて候と。云イもあへぬにいやコリヤ老人。戦場《せんぢやう》に向《むか》はんに頸落《くびおち》の滝とは禁忌《きんき》なり。又其外に道はなきか。さん候此御ン社を弓ン手へ廻り。笠置《かさぎ》にかゝつてお通リあれよき道の候と。申上れば義経重《かさね》て。此御ン社《やしろ》の御神ン体《たい》はいか成神ぞ。老人しらずやとの給へば。ハアいやしき身なれば委《くはしく》は存ンぜね共。此御神をいとゞの明神と申シ（2オ）て。文字《もじ》には射手《ゐて》と書キ候へ共。云やすきがならはせとや。いとゞの明神と申なりと語《かた》れは。大将御悦喜《ゑつき》有いとゞの明神弓ン手へ廻り。倍《かさ》にかゝつて責《せめ》よとは面白し〳〵。それ老人に恩賞《おんしやう》せよと仰もおもき御恵《めぐみ》。御褒美《ほうび》あまた給はりて。早御暇《いとま》と老人は。宿所をさして帰りける。

梶原平三すゝみ出いさまし〳〵。武士《ものゝふ》の運《うん》に叶ひ。弓矢神の御ン前に暫《しばら》くもやすらふ事。偏《ひとへ》に神の御ン加護《かご》なれば神ン前にて。的矢《まとや》を射《ゐ》軍の勝負《しやうぶ》を試《こゝろみ》申さん。見ン物有レ人〳〵と鎧の引合せより。陣《ぢん》扇取出し幕串《まくぐし》にしつかとゆひ付。矢比よき場《ば》に立テさすれば。有あふ人々息をつめ勝負いかにと待ツ所に。梶原一ツ世の晴業《はれわざ》と。滋籐《しげどう》の（2ウ）弓のまん中取リ。広言《くはうげん》云してぞ罵《のゝしつ》たり。抑モ梶原が家に伝はる誉《ほまれ》といつぱ。先祖《せんぞ》鎌倉の権五郎景政。敵に左リの眼《まなこ》を射《ゐ》られ。其矢もぬかず答《とう》の矢を射返《ゐかへ》し。唐日本に名を上る。見給へ殿原扇に書キし日の丸は。取リも直《なを》さず朝日将軍木曽義仲《よしなか》。此景時が一ト矢にて。朝日の直中《たゞなか》射通さんと。鷲《わし》の羽のとがり矢打つがひ。ウきり〳〵と引しぼりしばしかためて切ッて放《はな》せば。ウ何とかしけん寃《ねらひ》はそれて大将の。ウ御白旗横にぬふてとゞまつたり。ウ南無三宝中と弓投《なげ》捨。フシまじめになれば。地色ウすはや味方の大事ぞと。

スヱテハル眉《まゆ》をひそめぬ者ぞなき。

地色ウ大将義経御こゑ高くやをれ色梶原。詞義経が下知をも受ず。鎌倉殿の出頭《しゆつとう》を鼻にかけ。（3オ）出かし顔のさいばい立試《こゝろみ》の的《まと》を射《ゐ》損《そん》じ。味方に気おくれさせつるは言語《ごんご》同断《どうだん》の曲者《くせもの》。夫レ戦場《せんぢやう》に日の丸の扇を用る事。浅《あさ》々敷も思ふべからず。地色ウ日の丸はハル則日チ輪ン。中ウ日の神の御影《かげ》を移《うつ》す色陣扇《ぢんあふぎ》。詞敵間近く寄ルならば。さつとひらいて真甲《まつかう》に指《さし》かざし。神の威光《ゐくはう》を頭《かうへ》にいたゞき。此日に敵対《てきたう》ふかくの武士。神の御罰《ばつ》に亡《ほろぼ》す道理。今ン度の敵木曽義仲。朝日将軍と名乗ル事全《まつたく》此理に相同じ。地色ウ扇の的には大諄《ふとまに》の伝ンと云事有故実《こじつ》をしつたるハル武士は。ウ日の丸をよけて地紙を射ルか。ウ蟹目《かなめ》ぎはを色射ル物よ。詞それに何ぞや梶原が。朝日の直《たゞ》中射通さんと神に弓引冥罰《みやうばつ》にて。却《かへつ》て味方の旗を敗《やぶ》るかた〴〵以て不吉の相《さう》。地色ウよし此上は（3ウ）義経が故実《こじつ》を正《たゞ》し一ト矢射て。軍の勝負を様《ためさ》さんと。思ひためたる弓の裏筈《うらはず》。神の御告《つげ》を白羽の矢取てつつ立上り。アレ見よ扇は西に有リ。朝日は東に有ル物を西に入日を追詰《つめ》〳〵。木曽が胸板《むないた》射通して。八本のあばら骨ばら〳〵にしてくれんと。弦《つる》打つがひしこふしのかたまりよつぴきへうど放《はな》つ手答《ごた》へあやまたず。蟹目《かなめ》射切レは骨ばら〳〵。扇砕《くだけ》て飛ちるにぞ。今に初めぬ義経の凡人《ぼんにん》ならぬ弓ン勢を。恐れぬ者こそなかりけれ。

大将の御弓矢畠《はたけ》山の重忠《しげたゞ》受取。うや〳〵敷ク神前に捧《さゝげ》奉り。敵に打勝柏《かつかしはで》手も味方の勝利うたがひなしと。御悦びは限《かぎ》りなし。ヤア恥を恥と思はぬ梶原。味方の旗を射通したるも弓矢の故実か二タ心か。返答《へんたう》聞んときめ付ケられ。（4オ）面目なげに頭《かしら》を上。義経公への申訳《わけ》たゞ今切ッ腹仕る。何レもさらば佐々木殿かいしやく頼存ズると。鎧の上帯引ほどけば四郎声かけ。ア、踈忽《そこつ》〳〵。かゝる大事をかゝへながら。腹切んとは同士打《どしうち》も同じ事。但大将へのつら当《あて》か。今度の軍に高名あらば。申シ訳《わけ》は自然《しぜん》と立ッれうじ有ルなと押しづめ。威儀《ゐぎ》を正《たゞ》して御前に向ひ。梶原が切ッ腹某申シ預《あづか》らん。又御旗を射ぬいたるは凶事《けうじ》にあらず。却て吉相君《きつさう》の御軍慮図《くんりよづ》をはづさず。敵にはたと当るといふ。瑞相《ずいさう》めでたし〳〵と秀句《しうく》によせて寿《ことぶけ》ば。義経御感斜《かんなゝめ》ならず高綱いしくも申シたり。ヤア梶原過《あやまつ》て改《あらたむ》るに憚《はゞか》らず。以来《ゐらい》をきつと慎《つゝしむ》べしと物にさはらぬ御詞。あつとはいへど義経に。意趣《ゐしゆ》をふくみし其根ざし（4ウ）此時よりとしられける。

地色ウ かくて時刻《じこく》も過行ば大将采配《さいはい》おつ取て。ヤア時移《うつ》りなば敵の要害《ようかい》悪かりなんと。先キにすゝんで打ッ立チ給ふ。寛仁大度《くはんじんたいと》の御粧《よそほ》ひ。悠々《ゆう〳〵》として勇《ゆう》有義有。巍々《ぎ〳〵》たる岩石踏《がんぜきふみ》したき。宇治川さして和泉川威勢《ゐせい》はかゝやく光明山。平等院《べうどうゐん》の北の辺富家《ふか》の渡リへ着給ふ。源氏の御代の末長く栄《さか》へ。さかふる。〳〵時なれや。

地中 九重の空も閑《のどけ》き。春の色。霞こめたる檜皮《ひわだ》ぶき。美麗《びれい》をつくし手をつくす。木曽殿の御館《たち》には。御長男シ駒若《こまわか》君三つのおいさきうるはしく。分ケて母君山吹御前。御寵愛《てうあい》浅からず付添《そふ》女中も御きげんを。取々賑《にき》はふ其中に。

地色ウ お傍離《そばはな》れぬお気に入おふでといふて才発《さいはつ》者しとやかに手をつかへ。（5オ）此春は珍らしう。御国にかはつて都で年をお重ね遊ばし。御祝義中も漸《やう〳〵》ときのふけふ。馬くら休める隙もなく。又軍の戦ひのと心よからぬ世のさはぎ。おあんじも尤ながら。四天王と呼れたる一ッ騎《き》当千《とうぜん》の人々に。巴《ともへ》様も向はせ給へは十が九つ味方の勝《かち》おきづかい遊ばすな。したがなんぼ大力でも殿のお種《たね》を身に持ッて。切ッつはつつはあぶな物。出《で》物腫《はれ》物所きらはず。ひよつと其場《ば》でけが付ィたら。サア自《みづから》もそれがきつかひ。殊更《ことさら》左孕《ばらみ》と有レば疑ひもない御男子《なんし》。何事なふ平産《さん》あらば此駒若の弟御《ご》。今迄此子をかはゆがつて貰《もら》ふたかはり。自も心一。*ぱいいとしぼがりたい。早ふ抱《たい》て見たいはいの。ホ、そりやしれた事。常《つね》さへどちらもお中がよふ（5ウ）て。お互にたき合ィごくらお情ィ次第根ン次第。中に立た殿様もお嬉しからふと打チ笑ふ。折からつくる先キ走《ばしり》。たゞ今殿様御帰館《きくはん》と。呼はる声に家中のめん〳〵地に鼻《はな》付て畏《かしこま》る。叢蘭茂《さうらんもつ》せんと欲《ほつす》れ共秋風《しうふう》是を破《やぶる》とかや。朝日将軍木曽義仲。てりかゝやける物の具も龍に翼《つばさう》を得るごとき。威勢勇美《ゐせいゆうび》の御粧《よそほ》ひしづ〳〵と入給へば。山吹御前出向ひ。是は〳〵思ひの外早ィ御帰り。そしてどふやら御顔持も勝《すぐ》れず。早ふ様子が聞《キ》ましたい。されば〳〵。兼て御身も存《シ》の通り鎌倉の討手。範頼《のりより》義経夜を日についで攻上《せめ》れば。宇治の手は楯《だて》の六郎根《ね》ノ井の小弥太を指《シ》遣《ハ》し。勢田の手は今井の四郎兼平《かねひら》にかためさせ。猶又巴《ともへ》も跡より（6オ）打《ッ》立《ッ》とはいへ共。折わるふ樋《ひ》口の次郎は多田の蔵人《くらんど》行家を責《せめ》ん為。河内の国へ立越れば。味方は小勢敵の多勢にくらぶれば。十分《ン》が一中〳〵輙《たやすく》ふせぐべき共覚ねば。某も今出陣《しゅつぢん》し。士卒《しそつ》のかけ引軍配《ぐんばい》せんと思ふに付。御暇乞《いとまごい》の為院の御所へ参りしに。厳門戸《きびしくもんこ》をさしかため物音だに聞へざれば。ぜひなくすご〳〵帰つたり。ヱ、口惜《おし》や浅ましや。過つる寿永《じゆゑい》二年砺《と》並篠原《なみしのはら》両度の戦《たゝか》ひ。平家の大敵を切なびけし勲功《くんこう》によつて。朝日将軍に補《ふ》せられ高名ほまれを顕はせしに。今又平家にしたがつて朝敵謀叛《てうてきむほん》と呼《よば》るゝも。皆《みな》君の為天下の為心をくだくかいもなく。却て隔疎《へだてうとん》ぜられ剰《あまつさへ》鎌倉へ追討《ついたう》の宣旨《せんじ》をくだし給はり。一《チ》門《ン》弓箭《きうせん》を合せ。同《どう》（6ウ）姓《しやう》勝負を決《けつ》する事。偏《ひとへに》君の叡慮浅《ゑいりよあさ》きに似たれ共。普天《ふてん》の下卒土《そつと》の内。王土《わうど》に有《ラ》ざる所なければ是迚《とて》もぜひに及ばず。此上はへんしも早くかけ向ひ。腕《うで》限り攻《せめ》戦ひ潔《いさぎ》よく討死せんと。思ひ切たる御顔色《がんしよく》見るに悲しき山吹御前。扨はけふの出陣《しゆつぢん》はとくより覚悟《かくご》遊ばして。討死なされん為なるかさほと科《とが》なき御身の上。時節《じせつ》を待ッてなぜ申ひらきはなされぬぞ。心やすふ討死とおまへばつかり合点して。此駒若や巴様の胎内《たいない》の。御子はいとしうおぼされぬか。あんまり気づよいどうよくぞや。どうぞお心ひるがへし。お命つゝがなきやうの御了簡《りやうけん》はない事かとすがり付ィて泣給へば。

ア、おろか〳〵。夫レ程の事弁《わきま》へぬ義仲にはあらね共。御所には中納言兼雅修理《かねまさしゆり》ノ太夫親信《ちかのぶ》を（7オ）始め。百官《くはん》百司《し》も大半ン平家に心を寄《よす》れば。中〳〵申ひらく時節はなし。分ヶて多田の蔵人《くらんど》行家は。某に意趣《ゐしゆ》有ル中。義仲こそ木曽の山家《が》に育《そだつ》たる不骨《こつ》者。色に迷ひ酒に超《てう》じ奢《おごり》の余リ朝家《てうか》を乱《みだ》す謀叛《むほん》人と。讒者《ざんしや》の口にかけらるれば。迚《とて》もかくても遁《のがれ》ぬ運命《うんめい》。義仲が胸の鏡《かゞみ》くもらぬ証拠《しやうこ》は天道ならで誰レかしらん。泥中《でいちう》の蓮《はちす》も汚《けが》れぬ花の栄へを見す。我悪名は後代《こうだい》に残し。身は戦場《せんぢやう》の土ときへ首は大路《ぢ》にさらされて。恥に恥を重《かさね》ん事返すぐ〲も口惜《おし》し。去リながら。我こそ命を落す共御身は片時《へんし》も館を立退《のき》。駒若を養育《やういく》し。時至《いた》らば義仲が罪《つみ》なき旨を奏聞《そうもん》し。ふたゝび家名をすゝがれよ。ふびんや何ンのぐはんぜなく。是今ン生の別《わか》れ共。しらずは（7ウ）からず我顔を見てよねんなき笑ひ顔いぢらしさよと計リにて。勇気《ゆうき》にたゆまぬ大将も。恩愛父子《おんあいふし》のうき別れ暫し。涙にくれ給ふ。

山吹御前は今さらにとゞむる方も泣くづおれ。たつた今迄子の行末家の栄《さか》へ御身の上。千万年もそふやうに思ひし事もあだし世の。夢か現《うつゝ》か悲しやと。御身をもだへふししづみ声もおしまぬさけび泣。見るに身にしむおふでが思ひ。お道理様やと諸《もろ》共に袖を。しぼるぞあはれなる。

かゝる嘆きの折こそあれ。間近く聞ゆる轡《くつは》の音。しやん〱りん〱さら〱ささつと吹くる春風と。名にあふ名馬に打チ乗《のつ》て。かけ立テ蹴《け》立ッる馬煙《けふり》。生レ付ィたる大力に馬上も勝《すぐ》れし巴御前。色をゆかりの紫《むらさき》おどし。鎧《よろひ》かろげの女武者。長刀《なきなた》かい込ミ鞭《むち》（8オ）打チ立。馳《はせ》付ク門前ひらりとおり。扨も此度宇治の戦ひ。

楯根《だて》ノ井がはからひにて橋板を引。岸《きし》には垣楯《かいだて》。川には乱株透間《らんぐいすきま》なく。大綱《づな》小綱を流《ながし》かくれば。鴦鴨《ゑんわう》などの水鳥も輙《たやすく》通ルべし共見へざる所に。血気《けつき》の大将義経が下知によつて。佐々木の四郎高綱。梶《かぢ》原源太景《かげ》季《すへ》先ン陣《ぢん》二陣に川を渡せば。ち、ぶ足利《あしかゞ》三浦の一党《とう》我も〳〵と打渡つて攻《せめ》戦ひ。味方敗軍《はいぐん》剰《あまつさへ》。楯根ノ井も討死し。士卒《しそつ》もちり〴〵無念ながら引かへし。直《すぐ》に追ッ立勢田の手へ向はんと存ぜし所。既《すで》に宇治の手破《やぶ》れしかば。勝ッに乗《のつ》たる鎌倉勢《ぜひ》。或《あるい》は木《こ》幡《はた》醍醐《だいご》深《ふか》草月見の岡。思ひ〳〵に打こへ馳こへ。都へ乱レ入ルと聞ケば御身の上きづかはしく立帰り候と。云ィもあへぬに人々ははつと仰天《げうてん》あき（8ウ）れ果《はて》暫し。詞もなかりけり。

木曽殿少シも動《どう》し給はす。ホ、ウさこそ〳〵。胸にこたへし味方の敗軍《はいぐん》。死《しす》べき時に死《しな》ざれば死にまさる恥多《お、》し。今こそ木曽がさいこの門出巴《ともへ》来れとの給へは。はつとはいへど伏しづむ。山吹御前おふでが嘆き。見れば心も打しほれ。君の先途《せんど》を見とゞける。死手のお供は一思ひ。跡に残りて便リなき。御身の上はいか計悲しうなふて何ッとせふ。おいとしぼやとかきくどき。しやくり上ヶたる嘆につれ。木曽殿もや、せきくる涙と、め。兼《かね》させ給ひしが。心よはくてかなはじとふり切て馬引寄《よせ》。ゆらりとめせば巴御前も泣ヶ目をはらひ。片手にしつかと轡《くつは》づら取ッて引立いさみを付ヶ。コレ〲申シ山吹様。死《し》をかろんずるは勇士《ゆうし》の道軍のならひ。今我君戦場へうつ立給ふといへ共。是又決《けつ》し（9オ）て討死共定がたきは時の運《うん》。此巴が付そふからは。敵何万ン騎《ぎ》有とても。我命のつゞかんたけかたはし撫《なて》切リ拝《おがみ》打チ。くもでわちがい十文字。十方八方打チ立テ。追ッ立まくり立ぜひ一方打破《ゆぶ》つてかけ通リ。いつくいか成奥山にも隠《かくれ》遁《のが》れて時節《しせつ》を待テ。御本ン意《ゐ》とげさせ申スべし。先ッ夫レ迄は若君諸共しるべの方へ御忍ひと。いさむる詞におふでも嬉《うれ》しく。夫レはちつ共きつかひ有ルな。わたしが古郷桂《かつら》の里の爺《てゝ》親は。源氏普代《ふだい》の侍《さむらい》鎌田《かまた》兵衛が弟。同名隼人《はいと》と申者。年シ寄ッたれ共心は忘れぬ弓矢の家。御主人といひ親子の中。命にかけてかくまはん。ヲ、夫レこそ究竟《くつきやう》偏《ひとへ》に頼む。随分《すいぶん》御ぶじで山吹様若君様もふおさらば。おまへも達者《たつしや》で。殿様さらば。さらば〳〵と行名残。のこる思ひ（9ウ）ははてしなき涙と共にのびあがり。見おくり見帰る恩愛《おんあい》いもせ主従《しうぐ》の。嘆キになづみ行キかぬる。こまの足どりもろ手綱引わか。れ行ク。〽雲のあし。

雪吹《ふゞき》まじりの。朝霞ひらの高根の。さへ帰り。春めきながら野も山も。雪にまがへて白旗《はた》の。やゑ立敵の其中を心ぼそくも巴御前。御さいこの供はかなはしと。夫トなり又主命の。我身におもき唐錦《にしき》。古郷へ帰る鎧《よろひ》の袖供をも具せずたゝ一ツ騎《き》。名残涙の玉くしげ。手枕ふりしねくたれ髪。夕べの儘《まゝ》に振乱《ふりみだ》し。烏帽《ゑぼ》子《し》引キ立眉《まゆ》ふかく見るめもくもる鏡《かゝみ》山女共見へつ又男共。いか物作りの太刀はいて。思ひ切共女気の。跡へ〳〵と。心引ク。琵琶《ひわ》の海づら弓ッ手に見なし。行先いかに白月（10オ）毛駒《こま》に任《まか》せて行道の手綱《たつな》よ二世の。別れの鞭打に。力ぞなかりける。

俄《にはか》に越方《こしかた》さはかしく。ヤアあの凱歌《かちどき》は敵かみかたか。君はいかに。兄はいかにと。覚束《おぼつか》な。人の便を。松かげに馬乗《のり》とゞめ立ッたる所へ。勝チほこつたる鎌倉勢二三十。落武者《おちむしや》かへせと呼はつておつ取まく。何落武者とは舌《した》ながし。落ぬか落るか是見よと駒の頭《かしら》を立テ直《なを》し。うづまく我名の巴のごとく。右リ左リに乗廻ハし蹴《け》立テ踏《ふみ》立かけさすれば。詞は主の恥しらす跡をも見ずして逃《にげ》ちつたり。

ためらふ間もなくしはし〳〵と呼はつて。かち武者一人ン軍兵に先キ立大音ン上。木曽殿の御内に男まさりの去ル者有と音トに聞。巴御前と見しはひがめか。坂東《ばんどう》一チの勇者《ゆうしや》と呼れし秩父《ちゝふ》の重忠《しげたゞ》見ン参せんと。いふ（10ウ）より早く鎧《よろひ》の草摺《くさずり》しつかと取。引キおろさんとゑいと引ク。巴につこと打笑ひ。男まさりと名を立られ強《つよ》みを見するは恥かしけれど。秩父《ちゝぶ》程の人がらで坂東一チの勇者呼《ゆうしやよば》はり聞にくい。ならばてがらに引おろしてみさんせと。鐙《あぶみ》の鳩胸《はとむね》ふみそらし引にちつ共うごかばこそ。鞍《くら》づよにこたへしは。つくり付たるごとくにて。広言放《くはうげんはな》ちし重忠も大力の女もてあまし。馬人くるめにこりや〳〵。ゆき間《ま》を分て生《おい》出る。春に粟津《あはづ》の草ぞめいわく踏《ふみ》ちらし。引戻しては引づられ。引イつひかれつよるべなき堅田《かたゝ》の浦の釣《つり》小船浪《おぶねなみ》にもまるゝ。如《ごと》くにて。こたへもこたへひきも引草摺三間引ちぎり。しりゐにどうど伏たるはにが〱。敷もめざましし。

跡につゞきし佐々木の四郎手柄《てがら》はしがち。（11オ）御免《めん》候へ秩父殿。佐々木が組《くん》でみせ申さんとかけ寄レばのふ〱ねつたい佐々木殿。こはざれなせられぞと押シ隔《へだて》。宇治川の先陣《せんぢん》はせられしが。巴女にはいかな〱秩父もかなはぬ。今のこけざまを見られしかヤア女。秩父に尻餅《しりもち》つかせたを手柄《てがら》にして。木曽へ成リ共どこへ成リ共かつて次第にはや帰れ。あれ見られよ。帰れといふに耳《みゝ》へも入レず。鎧づきしてすはといはゞ。勝負《しやうぶ》せんと待ッ大強者《つはもの》。勝ッてからが女なり。秩父が様に尻餅《しりもち》ついて物笑ひ仕出スか。先此陣は引ィたがよい。合点《がてん》か〱と目でしらせばヲヽ夫レ々。勇者の尻餅と高名の首《くび》帳も。筆末ならば付カぬかよい。いかにも此陣《ぢん》引クが勝。のふちゝぶ殿。なふ高綱殿とうなづき合。よそにもてなし立帰る弓矢の。情《なさけ》（11ウ）ぞたぐひなき。

後陣《ごぢん》にひかへし内田《うちだ》の三郎。ヤア〳〵秩父殿佐々木殿。敵にあふて勝負せぬは後を見するか二タ心か。内田の三郎家吉《いへよし》参りさふと諸鐙《もろあふみ》かけ合せ。天晴《あつはれ》御器量《きりやう》武者ぶりや。ゑぼしが下《した》の乱レ髪。象《ざう》ではなけれど此鼻が。つながれ申ス一ト軍して。内田が手並《なみ》を見せ申さん。鎧の上ハ帯《おび》下紐《ひも》も打とけよ。引手になびけとじやれ事し。すきを見て組留《とめ》んと。乗廻す。巴が乗たる駿足《じゆんそく》足は数度《すど》の軍にあふ坂の。関《せき》吹こへて名に高き。春風といふ名馬。内田が乗たる韋駄《ゐだ》天栗毛《てんくりけ》疾鬼《そくしつき》とて足はやき。鬼におとらぬ足どりは。両方おとらぬ馬上の達者《たつしや》。駒の足なみ飛鳥《ひてう》のかけり。行違《ちが》ひさま内田の三郎鎧の袖を引違へ。巴にむ（12オ）ずとひつ組ンたり。シヤ大たんな。義仲といふ主シ有女にだき付てヲ、こそば。目顔を赤めてつよい顔なされても。力の有ル体《てい》でもなし。聞へた〳〵。女《おなご》じやと思ふてふかじやれか。人にこそよれ此巴には。麻殻《おがら》でつく釣鐘ならぬ事〳〵。みらいの為の折檻《せつかん》と。前輪《まへわ》にぐつと引付てうん共くつ共いはさばこそ。片手にすかうべ引抓《つかみ》太首《ふとくび》ちよいと引抜《ぬき》しは。子供遊びの紙雛《かみびな》の首を抜クよりやすかりける。

和田の義盛是に有。聞しにまさる女の働《はたらき》去ながら。手柄《から》も人による物と。生《おゝ》る手比の並木の松ぐつと根ごしに引抜ィて。馬人共に一ト打と口にはいへと心には。馬の諸脚《もろすね》なぎたをし。あつばれ手取にせん物と。追様《おいさま》向ふ横腹《よこばら》へ。なぎ立ッるを事共せず。巴は馬を乗《のり》とばし熊《くま》の子（12ウ）渡し燕《つばめ》のもじり獅子《しゝ》の。洞入《ほらいり》なんどゝいふ手綱の秘蜜《ひみつ》に声添《そへ》て四足を土に付ヶはこそ。宙《ちう》をかけらし地をくゞらし蹄《ひづめ》にかけんとすきを待チしばしあしらふ。〽折こそ有。

敵の方に声立て。朝日将軍義仲を石田の次郎が打取ッたり。今井の四郎兼平も一所にさいごと呼はる声。聞クに驚《おどろく》たるみを見て義盛ゑたりやかしこしと。馬の前脚《まへずね》どうどなぐながれて前脚折ルよと見へし。巴も馬上をまつさかさま落るを其儘《まゝ》おこしも立ず。家の子郎等おり重《かさな》りかくる千筋のいましめも。妹背《いもせ》を結《むす》ぶ縁《あん》の綱《つな》ながき夫婦の初メとは後にぞ。思ひしられける。

かくと注進《ちうしん》してげれば御大将義経公。秩父佐々木を召ぐして泥障《あをり》を土手《どて》に敷がはや御座に。移《うつ》らせ給ひける。(13オ)和田の義盛罷リ出。女を生捕手《いけとりて》柄《がら》がましく申シ上るも。おこがましく候へ共。鎌倉の御前に御沙汰《さた》候ひし。木曽殿の妾《おもひもの》　巴と申ス女召シ取ッて候。いかゞはからひ申さんと申シ上れば。ヲ、いしくもしたんなれ。直《じき》にとふべき子細《しさい》有。早いそふれと御諚にて。引出す縄取共返つて中ッにひつ立て。おめずおくせず御大将の膝《ひざ》近く。ふりあをぬいたるかんばせに。はら〳〵かゝる無念の涙。雪に霰《あられ》ぞ乱レける。

折しも梶原平三景時。武者一人召具《ぐ》し息を切てかけ付。当手のおん敵は悉《こと〴〵く》　討亡《ほろぼ》し。鬼神と呼《よば》れし朝日将軍義仲を。石田の為久《ためひさ》が討取。首を御目にかけくれよと某を頼み。其身は後陣《ごぢん》に罷リ有。又召シ連《つれ》し此男《おのこ》は。井ノ上次郎と申木曽の郎等《らうどう》。主《しう》の悪逆《あくぎやく》を疎《うとみ》(13ウ)今井の四郎兼平が首取て。鎌倉殿へ降参《かうさん》の手みやげ候と。ひたゝれの袖に包《つゝみ》たる甲首。太刀につらぬいたる今井が首。実検《じつけん》に備《そな》ゆれば。コハ我殿か兄上かと。巴は縄取ひつ立て。かはり果たる御姿や覚悟《かくご》の上とは云ながら。思へば〳〵暁《あかつき》の。鶏《とり》に互の泣別れ。ながい別れに成ッたかと。二つの首に身を寄セて。人めも恥ずどうど伏声　も。おしまず泣いたる。

地ハル梶原いかつて。詞ヤアめろ〳〵と今に成て何のほへざま。尾籠《びろう》なりとひつ立させ。恐レながら首御実検《じつけん》なされ。井ノ上次郎にも御褒美《ほうび》の御詞下さるべしと取リ持テは。地中つく〳〵と色実検有。詞ヱ、浅ましや。同し清和の台《うてな》を出。まさしき源氏の累葉《るいえふ》として。平家にまさつたる朝敵謀反《むほん》の族《やから》と成て。地色ハル末ッ代源氏（14オ）の弓矢をけがす一チ門のつらよこし。ウにくや〳〵とウ持ッたる扇ふり上て丁〳〵と色打給へば。詞巴こらへずヤア聞にくし義経殿。平家にまさる謀反人とは。何が謀反其訳《わけ》聞んと詰《つめ》かくれば。ヲ、いふ迄もなし。法就寺《ほうじゆじ》の御所を焼討《やきうち》し高位《かうゐ》高官の人々を苦《くるしめ》し。是が謀反朝敵で有まいかともつての外の御気色。地色ハル巴涙をはら〳〵中となかし。されば夫レこそウ木曽殿のハルふかき御思案《しあん》。ウ謀反でない中物語。なみゐる人々も聞てフシたべ。詞すでに木曽殿。砺《と》並《なみ》倶《く》利《り》伽《か》羅《ら》篠原《しのはら》の合戦に打勝《かち》。都へ責《せめ》登り給ふと聞へしかば。平家一門の人々三種《じゆ》の神器《じんぎ》を守《もり》奉り。西国へ落下ル。木曽殿都に入レかはつて御所を守護《しゆご》し給へば。法皇御感斜《かんなゝめ》ならず。雲の末海《うみ》の果迄も追《おつ》詰《つめ》。平家を討亡《ほろぼ》し（14ウ）三種《じゆ》の神器《じんぎ》を事故なく。都へうつし参らせよとの宣旨《せんじ》。畏《かしこまつ》てお請申させ給へ共安からぬ一チ大事。三種の神器を取かへさんとひた責《せめ》に責るならば。身の置所ない儘に唐高麗《からかうらい》へも逃《にげ》渡らば。勿体なや神より伝はる三種《くさ》の御宝。ながく異国《ゐこく》の物とならんは日の本の国の恥。若シ又海底《かいてい》にしづめ失《うしな》は丶世はとこやみ。とやせんかくやと御思案《しあん》有。義仲朝敵謀叛人の名を取ば。平家心ゆるして一ツ致《ち》せんな必諚《ひつぢやう》。折を窺《うかゞ》ひ三種の神器を奪《うばい》取リ。跡で平家は皆殺《みなごろ》し。サア此上の分別なしと。心にたくまぬ悪《あく》逆《ぎやく》の謀《はかりこと》。夫レとはしらで諸国の借《かり》武士共。我儘《まゝ》を働《はたらき》しは。木曽殿のしろし召れぬ事ながら。まんまと上々の朝敵の名を取リ給ひ。スハ鎌倉（15オ）の討手向ふと聞へしかば。寄セられては後手《ごて》になる。御身に誤《あやまり》なき由《よし》を申分ケさせ給へといへば。いやとよ他人より一チ門は猶恥有リ。宰我子貢《さいがしこう》が弁舌《へんぜつ》をかつて云ほどく共。三種の神器を取かへし平家を悉《ことぐく》討亡さねば。我本ン心は顕《あら》はれず。比興《ひけう》げに云訳はすまじいぞ。かく成はつる我武運《ぶうん》寄セ手を引受。いさぎよく討死せんと御覚悟《かくご》なされ。夫レ故にこそやみ〳〵と。今度の負《まけ》軍。申ス詞に疑ひあらば仰置れし詞の末。召サれし甲に子細《しさい》ぞあらん御覧有。いかに思し明らめても。心の内の御口惜《おし》さはいか計。人こそ多けれ石田づれの。名もなき下郎の刃にかゝり。勿体《もったい》なや御首に義経か扇を受ヶ。一ト かたならぬ冥途《めいど》の御無念。あはれ此身が儘《まゝ》ならば義経殿。飛かゝつて（15ウ）恨《うらみ》いはん物ヲ、。口惜や悲しやと立ッて見居て見身もだへし。こぼるゝ涙をおさゑんとすれ共縄の強《つよ》ければ。頭《かしら》を膝《ひざ》にすり当て前ン後。ふかくに泣ゐたる。

高綱仰を承り御首に立チ寄て。甲を取レば鉢受《はちうけ》の絹に巻添《そへ》し一ッ通《つう》有。取出しさゝぐればつく／＼御覧し仰《げう》天《てん》有。是見よ旁《かたぐ》。巴が申スにちつ共違《たが》はず。三種の神器を取かへさん為の計略《けいりやく》。思ひもふけぬ朝敵に成たる悔《くやみ》の条々。神ン明仏ッ陀《だ》をちかいにかけ。逐《ちく》一チに書残されたり。扨は反逆《ほんぎやく》にてはなかりしな。鎌倉殿こそ御心付す共。討手を蒙《かうむ》る此義経。尾張三河の間に軍ン兵をとゞめ置。一チ応《おう》も再《さい》応も使を以て事の品をとい明らめ。反逆謀反《むほん》に極《きはま》らば其後こそ討べきに。其気の付ざる我不調法《てうほう》。扇を以て首をけがせし（16オ）我誤御詫申スゆるしてたべと。座を立て義仲の首取リ上。義経が名はしやな王丸。貴殿《きでん》の名は駒王丸。鞍馬《くらま》と木曽の住所はかはれ共。再《ふたゝ》ひ源氏の世になさんと。地色ウ恥をしのぎうきめを見しハル心づかひは一つにて。ウ平家を西海へぼつ下せし。ウ源氏再興《さいこう》の軍初の大功《こう》は貴殿こそ中立られし。ウ其功を空《むな》しく謀反人の悪名を取てハル果給ひし。ウさいごの意恨《ゐこん》をひるがへし弓矢擁護《おうご》のウ神となり。上源氏の武運を添《そへ》給へと。ウ押いたゞき〳〵ひたんの。スヱテ泪中にくれ給へば。地伺公《しこう》ハルの武士を初めとして。ウかけかまいなき中フシ下部迄かんるい催《もよほ》す計なり。

地ハル和田も哀《あはれ》にかきくれていたりしが色御前に向ひ。詞ハア、さすが源氏の御血筋迚《とて》。驚《おどろき》入たる木曽殿の御心ン底《てい》。然レば此女にかゝるべき御疑《うたが》ひも咎《とが》もなし。殊に木曽殿の御種を懐胎《くはいたい》せしと（16ウ）伝《つた》へ聞ク。義盛給はつて夫妻《ふさい》に具《ぐ》せんと申スはいかゞ。合莚《あいむしろ》は踏《ふま》ず共御子誕生《たんじやう》有ル迄は。地ハル我等に預《あづけ》下さるべしと云せも立す色梶原詞平三。ヤア心へぬ義盛の願ひ。どふ書ィて有ふがどふ云ふが皆うそ〳〵。謀反人に極《きはま》つた木曽義仲。其種《たね》を孕《はらん》だ女を預リ。子を産《うま》せて何にせらるゝ。但シは其子を守リ立て又謀反おこす気か。夫レはともかふも鎌倉殿の御はからひ。先ッ差当《あた》る拙者《せつしや》が取リ次の井ノ上次郎。兼平が首取ッたる莫太《ばくたい》の高名。地ハル御褒美《ほうび》の御詞下さるべしとさへぎつて言上すれば秩父の色重忠。詞イヤ梶原殿。義経公は惣軍《ぐん》の御大将こまか成事はしろし召サず。今井の四郎兼平は間《ま》の当《あた》り。木曽殿討れ給ひぬと呼はる声を聞しより。太刀をくはへつゝ逆《さか》様に落（17オ）てつらぬかれ死ンだる事誰しらぬ者もなし。地ウ夫レを何ンぞや井ノ上次郎がハル高名《かうめう》とは。ウ死首取たるが高名か頼まれての取リ持か。ウ自分《じぶん》の贔屓《ひいき》かよし夫レは色とも有レ。詞重恩《ぢうをん》の主の討死を。よそに見捨命おしさの降参《かうさん》。偽《いつはり》をかざる表 裏《ひやうり》の武士。地色ウ取次の梶原殿迄心底ハル疑《ていうたか》はし。ウ返答《へんとう》あらば承はらんと一トフシ口にやり込れば。地ハル井ノ上色次郎進出。詞ヤアあさ〳〵敷重忠の仰。主人の討死を見て降参するやうな井ノ上にては候はず。一両年以前より梶原殿を頼み頼朝公へ心を寄セ。義仲の身の上嚏《くつさみ》一トつしられた迄。犬に成てつげしらせし某。是計でも捨ても一ケ国や二ケ国が物は有。其上に又兼平が首取たるけふの手柄。地ウ浦山しうてのわんざんならば。ハル此首御辺におまするぞ。ウ勲功《くんこう》（17ウ）解状《けじやう》に預《あつか》られよと首取て色投《なけ》出せば。ウ事をやぶらぬ重忠もハルこらへるに色こらへ兼。詞儕ら如《こと》きを手にかくるは。おとなげなしと思へ共。地色ハル弓矢をけがす人非《にんひ》人。ウみぢんになさんと飛かゝる義経しばしと制《せい》し給ひ。井ノ上次郎が忠節《せつ》は此度初めならず。梶原平三が取次を以て。兼て鎌倉殿へ帰《き》伏《ふく》せしと申ス上は万事鎌倉にて。鎌倉殿の御裁許《さいきよ》有へし。夫レ迄互の論《ろん》は無《む》益《やく》心得たるか。義盛は願のまゝ巴を汝に預くるぞ去ながら。平産《さん》の子男ッ子ならば朝廷《てうてい》の恐れ。義仲の名を包《つゝみ》汝が子とし和田の家を相続《さうぞく》すべし。巴がいましめとく〳〵と搦《からめ》らるゝは義経の情の詞計にて。縄もとかるゝ気も解《とく》る朝日将軍義仲の。名をかたどりて生れ子を朝比奈《あさひな》の三郎義秀《よしひで》と。古今《こゝん》に秀《ひいで》し兵《つはもの》は此（18オ）胎内《たいない》の子なりけり。

いざや人々都に入て勝チ軍の様奏問《そうもん》せん。ヱ、ぜひもなき浮世のならひ。義仲の首今井が首。土中《どちう》にうづみ跡とはばやと思へ共。院の御気色《きしよく》はかりがたし。けびいしの手に渡さではかなふまじと。秩父佐々木に取リ持タせ道を早めて走《はしり》井の。軍の備《そな》へ九重の都に。蹄《ひつめ》をとばせらる。

梶原井ノ上手持チなく顔見合せ。ア、梶原殿。義経と云ィ秩父と云ィ。大ていではかまれぬ相手。鎌倉殿もあれなればいかふ当《あて》のちがふ事と。ふつつけば何さ〳〵。義経が爰での我儘《まゝ》は鳥ない里の蝙蝠《かうふり》。追ッ付ヶ鎌倉殿の御前見せ付る所で見せ付る。どいつらも覚へてゐよとねめ廻し。次郎を引具し立出れば。

巴すつくと立あがりまつた〳〵井ノ上次郎。君御存ン命の内よりも（18ウ）鎌倉へ内通とはたつた今聞た。いかいおせはで有ッたの。夫レはいふてせんない恨《うらみ》。指当《さしあた》る兄の敵主君の仇《あた》。もふ臨終《りんじう》に間ダはない旦那《だんな》寺へ人やらんせと。曲流《きよくる》詞も井ノ上が頭《かうべ》の上に雷《かみなり》の落か丶るかとすさまじく。ナフ梶原殿弓矢取ル身は相互ひ。今の命をお助ヶと脚腰《すねこし》立ず身もわな〳〵。頼ム人より頼まる丶梶原も底《そこ》きみわるく。人づかひがなくば旦那寺へは身がいかふと云捨てかけ出せば。つゞいて逃《にぐ》る井ノ上がわだかみつかんで引戻され。扨は道がちがふたそふな。どちらへいても大事ないと逃出す。先キには和田が仁王立チ左リ義盛右巴。一つ巴にくる〳〵とぢり〳〵まいする井ノ上次郎。命お助ヶ〳〵と土にひれ伏手を合せ泣より外の事ぞなき。

ヱ、ふがいなき業《ごう》さらし。主君の仇《あた》兄の敵には（19オ）不足ながらと引よせて。首捻《ねぢ》きらんとせし所へ。

井ノ上が郎等共主の命を助けんと。一チ度に抜《ぬき》つれ切てかゝる。ヲ、しほらしや。ほしがる主をゑさせんと鎧《よろひ》の上帯かいつかみ。落花《らつくは》みぢんに投《なげ》ちらしむらがりかゝるを引よせ〱。せめては是で色直《なを》し追ッ付ケ和田と祝言《しうげん》の。印シ今打ッ人礫《つぶて》。身がるき働《はたらき》蝶《てう》花形《がた》。出あふた敵は三ンゝ九度むら〱ばつとにげちつたり。猶もすゝむを引とゞめさのみ長カ追《おい》長カ柄《へ》の銚子《てうし》。かへせ戻《もど》せは無益《むやく》ぞと。いさめる駒《こま》に小《こ》角《がく》を入レ。時に近江の鮒盛《ふなもり》や乗。しづめたる義盛が二葉のひれに相生の。松の栄《さか》へやゑい。この。〱〱。此寿《ことぶき》をよろ昆布《こんぶ》。敵に勝栗《かちぐり》のつし熨斗《のし》つれて。陣所《ぢんしよ》へ帰りける（19ウ）

第二

鷹《たか》は水に入て稽《げい》なく。鵜《う》は山に有て能《のう》なし。筋目有ル侍《さふらひ》も世事《せじ》にはうとき町住居《ずまゐ》。けづる楊枝《よじ》さへ細《ほそ》元手。

しんく黒もじ身すぎ楊枝《よじ》。商売《しやうばい》みがきやうじのかんばん。猿《さる》もくはねど高楊枝。浪人とこそしられたれ。此家の家主門口から。暮ル迄精《せい》の出ルは急な誂《あつらへ》物でござるか。コリヤお家主様。けふは何事がおこつてやらちよこ〳〵お出。ムウ聞へた。晦日《つごもり》前なりや家賃《やちん》の催促《さいそく》。私も油断《ゆだん》はいたさぬ。此楊枝仕立て先キへやれば。其価《あたい》で家賃は野々《の、》山。跡の月の残りも受取次第上ませう。いや催促《さいそく》計リにくるでもおじやらぬ。楊枝計リ（20オ）けづゝては埒《らち》の明ぬ身体《しんだい》。取リ付キからしつているなじみのそなた。はかの行ぬせはか笑止《せうし》さに思ひ付ィた事も有。咄してみたさ来事はきても以前シが侍。麁相《そさう》な事は云出されぬ。是は〳〵御遠慮《ゑんりよ》めいわく。御懇意《こんい》の上お咄しとは先ッ耳寄《みゝより》早ふ聞たふ存じます。ムウ其気なら咄しませう。浪人殿にはよい娘持タれて。木曽殿へ奉公じやと聞ている。此間の騒動《さうどう》。木曽殿も死《しに》めしたりやお娘《むすめ》は浪人。ならぬ身体に口がふへては弥《いよ〳〵》いくまい。幸とおれがしつた大金持。器量《きりやう》の能《よい》おてかをほしがる。捨金の二十両や三十両は此家主が受合。あぶなげもなふ家賃《やちん》も取レる。でつち打出した仕合ときて見るも当《あて》が有ル。夕べ八つ過《キ》。爰な表《おもて》をしきりにたゝき。其跡は内へはいり咄し仕たは女の（20ウ）声と。相借《がし》やの者がしらしたで扨はお娘《ス》ときて見れば。地中ウいつもかはらぬ古《ル》長《カ》持《チ》と古親仁。ハルウやぶれ屏風《びやうぶ》かけべつゐ。ウ鍋洗《なべあら》ふて待ているに色戻《もど》らぬの。詞ヲ、御存《ジ》知の上は隠すに及ばぬ。成程奉公致《いた》させ置た。木曽殿の没落《ほつらく》に付。娘が事あんじぬてもござらぬ。去《リ》ながら軍の法で。女子には指《ゆび》もさゝぬよし。又さすやつが有てもさゝれてゐるやうなどんなやつでもござらぬ。親の内はしれて有《ル》此桂《かつら》の里。おそいか早いか戻りませう。夕べ門《ト》をたゝいたは夜通《シ》参りの愛宕《あたご》の下向。又隣《どなり》の両替店《りやうがへみせ》と取違《ちが》へ。こちの戸をわれる程たゝく。何《ン》じやとおもて明《ケ》たれば銭かほしいといふた故。地ハルウおれもほしいと云かへし笑ふて仕廻《しも》フシたといひければ。

詞ムウ夫《レ》で聞へた。談合《だんかう》は娘《ス》の顔見て（21オ）からコレ。手にとらぬ咄し当《あて》にして。仕事後《おくれ》て家賃待《ッ》てと云《フ》まいぞ。地ウヤ咄す内に日も暮《くれ》た。ハル店の仕廻《イ》色手《て》伝《つだを》ふ。詞夫《レ》はお慮外《りよくはい》 慮外じやおじやらぬ。一人《リ》してぐはたひしすりや。店がそこねて家主のめいわく。エ、此猿《さる》めか守《もり》しおるで売《レ》ぬ。楊枝《やうじ》もこいつも内へ取々。上店下タ店上ケて。そこでかけがね門の戸しめて。家賃の夜なべ精《せい》出そぞや。合点でござります。お娘スの事もサア合点。よふお出なされました。家賃も娘も来次第《きしだい》にこちから御左右《さう》致しませう。お出には及ばぬと。門ト送リして家主シが。内へはいるを能《よく》見とゞけ。立帰つてしむる門の戸の。日われふし穴釘《あなくぎ》穴より。若《もし》も覗《のぞく》人もやと莚《むしろ》立かけ古のれん。店の道具で取繕《つくろ》ひ。サア是て覗き（21ウ）づかひない。嘸《さぞ》お気づまり御究屈《きうくつ》と長持のふた明れば。

痛《いた》はしや山吹御前。駒若君を抱《いだ》き参らせお筆諸《もろ》共出給へは。引さがつて頭をさげ。移《うつ》りかはる世の習《なら》ひとは申ながら。朝日将軍の御台《みだい》若君。かゝるあばらやに隠レ忍び日かげもさゝぬ櫃《ひつ》の中。若君の長《おとな》しう出たい共おつしやれずむつかりもなされず。よふ御かんにん遊ばした。お気ばらしにハア何シぞお慰《なくさみ》。ヲヽ夫レよ。店守モりの此猿《さる》。まめなにあやかりおはしませ。まさるめでたい御寿命《じゆみやう》と祝《いは》ひ申シて指《さし》出せば。いたいけ顔のにこやかに猿のあたまをたゝいつ撫《なで》つ。御きげんよげに見へければ山吹御前の御悦。何から礼をいはふやら普代《ふだい》でもない主従《しうぐ》。おふでにつれて親御迄いかい世話《せは》に成まする。義仲様御さいごと聞よりも（22オ）同じ道にと思ひしが。地中 遺言《ゆいげん》も有此若を捨ても死れぬ身のつらさ。思ひやつてと計にて跡はつきせぬ御涙。

詞 ア、勿体《もつたい》ない。私がとつ様に何御礼。ヲ、娘よふいふた。元来某も源氏の普代。野間《のま》の内海《うつみ》にて相果《はて》し。鎌田兵衛政清《まさきよ》が弟。鎌田隼人《はいと》清次《つぐ》と申者。子細有ッて兄政清が不興《けう》を受ヶ。義朝卿の御先ン途《ど》も見届ヶず。

地中 本ン意《ゐ》を失ふ疲《やせ》浪人。古主の源氏へ帰参《きさん》の望。ふたり有ル我娘姉のおふでを御前ンへ指シ上。千鳥といふ妹を鎌倉へ遣はし。出ッ頭《とう》の梶原家へ奉公さすも。帰参の便リと存ぜし所に。思ひも寄ラぬ源氏と源氏の御軍。指当タる姉が御主人見捨て出世の望はいたさぬ。年こそ寄ッたれ心一ぱいお力に成申さん。ヤア夫レに付。木曽殿の御内に（22ウ）四天王の随《ずい》一チと呼れし。樋口《ひぐち》の次郎兼光《かねみつ》討死とのさたもなし。存命でゐるならばみだい若君引受ヶて。せはいたすべき樋口が安否《あんぴ》お聞及びなされずや。さればいの。樋口の次郎は多田《たゞ》の蔵人《くらんど》をせめんとて。河内の城《しろ》へ向ひしが其後はいなせも聞ず。世につれる人心頼に思ひし樋口にさへ見捨られたる親子の者。自《みつから》が身はいとはぬ何とぞ若をもり育《そだて》。二タ度世にもあらせて下タされ。頼ムはいと一ト人リぞと又泣。しづむ御ふぜい。

おふで親子も諸共に。しぼり兼たる袖袂。実《けに》や至《いたつ》て悲しきには腸《はらはた》を断《たつ》といふ。猿《さる》の楊枝《やうじ》やくせ者ぞと。梶原が郎等番場《ばんば》の忠太家主に案内させ。聞耳《みゝ》立る表はひそ〳〵。内には忍ぶないじやくり扨こそしれたと打うなづき。門ト（23オ）の戸あらく打たゝく。隼人驚き是は又家主。はいらせては事やかましと。欠《あくび》まじりの声しはぶき。甘《あま》ふねている所を誰レじやいの。用が有ルならあしたござれとねざめの体《てい》にもてなせば。いやおれじや家主じや。ヲヽ其家主合点《がつてん》じや。夜ル夜半《よなか》迄家賃の催促《さいそく》。夜が明次第誂《あつらへ》の楊枝先キへ渡し。銭受取て急度《きつと》済《すま》す。おきるのが大イさうなあすの事にと云つゝそつとさし足して。戸口のすき間を窺《うかゝ》ひ見れば。表に捕手《とりて》のあら者共すは打入ラんきつそう也。南無三ぼうあの大勢。外カに落《おつ》る道もなし。とやせんかくやと胸も心もくだくる計リ。門トの戸猶も打たゝく。ヲヽ夫レよく〳〵よき思案《しあん》と。娘が耳《みゝ》に口さしよせ。若君のお小袖をコリヤ。かふしてな。其跡は。かふ〳〵と。しらすれば打うなづき。やぶ（23ウ）れ屏風《びやうぶ》引立て。若君みだい諸共に身拵《こしら》へする其中に。

隼人は戸を明ケお家主。何事でござりますとぬつと出ればそれとかけごゐ番場《ばんば》が家来。十手《じつて》ふり上おつ取まく。アヽ是〳〵れうじなされな。ヤア聊爾《れうじ》とはのぶといやつ。木曽が女房小世《せ》倅《がれ》かくまふたに紛《まぎれ》なく。主人梶原の下知を受ケ番場の忠太が捕《とり》にきた。尋常《じんじやう》に渡せはよし。さなくばぶつてぶちすゆる。コレ浪人殿もふかなはぬ。かくまふた子をあなたへ渡せは御褒美《ほうび》を下さる。いぢばらるゝと楊枝《やうじ》の様な其かいなが。せなかへ廻つて青細《ほそ》引。家主の過怠《くはたい》にそなたの飯《めし》をはこばにやならぬ。家賃とらぬ其上に。そふ成ては家主めつきやく。サア早ふ渡されいと。歯《は》の根も合ぬふるひ声。いや家（24オ）主のなんぎより指当《さしあた》つて此身がかはゆひ。若君を渡しましよ。迚《とても》の事にかふなされて下されぬか。イヤかふとはこまごと。願あらば早まき出せ。アノものでござります。仮初《かりそめ》にも娘が主人。取ッて出しては此つらが世間へ出されぬ。私も立何レもも*立ッ了簡《れうけん》は。何角なしに爰には置カれぬ。出て行ケと追出します。皆は表に隠《かくれ》てござつて此内を出る所。彼《かの》若君をひつたくつて。女子にはおかまい有ルまい。すりや娘も助カる。どこもかしこもよいやうに御了簡頼入ルと。手をつけば忠太うなづき。夫レ程の義は宥免《ゆうめん》をしてくれう。かくまふた者共早ふ出せ。家来共は挑灯《てうちん》かた寄セ物音トすなと。其身も小かげに立忍ぶ。隼人は悦び内に入又さゝやいて親子が談合。わざと表《おもて》へ聞する大ごゑ。（24ウ）ヤイ娘。親を当に思ふても吟味《ぎんみ》が強《つよ》い。せなかに腹はかへられぬ。主人の供してとつとゝうせふ。エヽとゝ様そりや聞へぬ。他人でもぎりはしる。娘の主人を出て行とはとうよくな事計と。声には泣ケど目に泣ぬ親子が狂言《きやうげん》。表テにはすは出をるかと待受クる。番場の忠太が腕《うで》まくり。内には隼人が。心付ケ笠取てやり杖《つへ》渡し。なんぼほへても叶はぬ〳〵。出ていきおれといふては旅の用意《ようゐ》のゆたん。渡してはヤレうせいといふてはきせるたばこ迄。残る方なく取持せ。あれ〳〵しぶとい吼《ほへ》づらと。二人を門ト へつき出せば待チに待ッたる番場の忠太。山吹御前をひつとらへ。ヤこいつは手ぶり次《つぎ》のめらうが抱《だい》ておる。此世倅《がれ》めとかいつかむ。こは情ケなや渡さじとあらそふおふでが手をもぎはなし。若君をうばひ取リ（25オ）儕《おのれ》も共にといふ声に。のふ恐《おそ》ろしやお助有レと。山吹御前の御手を取こけつまろびつ落て行。

やれ〳〵嬉しや家主になんぎもかゝらず。おてに入ておめでたい。ちつほけな形《なり》をしてけつかうな物きていると。いふに番場も心付キ。こいつごねたか。しやちばりかへつて木ほぜの様な小世倅と。挑灯《てうちん》取寄セとつくと見。ヤア駒若じやないこりや猿松。見せざらしで恥さらしたにつくい浪人。ふんごんでぶち殺せと一チ度にどし込ム門ト口の。小脇《わき》に隼人は隠レゐて。捕手《とりて》をやりこし入かはり。ずつと出て表の戸。外トより引立かけがね手早くゑび錠《ぢやう》おろす。内には手ンでに畳《たゝみ》を上ケすのこのしたから長持の。底《そこ》迄たゝけどこりやおらぬ。ぬけ道なし。詞ムウ扨は門《ト》へと引かへす。地ウ表の戸口は外《ト》から立《テ》（25ウ）切《ル》。ハル忠太主従家主まじ色り。詞コリヤどふじやコリヤどふじやと。地ハルうろ〳〵うろたへウ爰明《ケ》よと。内からたゝく門《ト》のウ戸の外《ト》には隼人がこゝち色よく。コレ詞家主。家賃《やちん》せがむがめんどさに家をあけて今行《ク》ぞ。楊枝やが色猿智恵《さるぢゑ》は儕《おのれ》らに置《おき》みやげ。若君は爰に抱《だい》てゐると。地ハル内懐《ふところ》よりお顔を出し。御運《うん》ウつよきにこやか顔見せたけれ共マアならぬ。ハルゆるりとそこにけつかれと。ウ山吹御前の御跡したひいつさん色に落て行。詞ヤア耄《おひぼれ》め遁《のが》すなと。地ハル番場主従声〳〵に門《ト》の戸ぶちわり店踏《みせふみ》フシくだきいづく迄もと追かくる。

地色ハル跡には色家主口あんごり。詞コリヤさゝほうさにしをつたな。家は砕《くだ》かれ家賃は取《ラ》ずエ、儘《まゝ》よ。百貫のかたに猿一疋。こいつめにきる物きせ。爰をさるとは秀句《しうく》じやの。さると（26オ）てはよふしをつた。地ハルさるてんがうとは思ウはれぬ。儕《レ》ウ楊枝やめ。力こぶ楊枝《よじ》ださば出《だ》ウせ。家賃をとらで置べきかと。ウ跡をしとふて三重上〳〵急き行。

実武士《げにもののふ》の。習ひとて。夫トは都の軍場《いくさ》につまは東《あづま》のるす住居。梶原平三景時が屋舗には。嫡《ちやく》子源太景季《かげすへ》が誕生《たんじやう》日チの祝《いは》ひとて。上段の床に甲《かぶと》鎧をかざり立テ。敵にかちんの備《そな》へ物御神酒《みき》の三方熨斗《のし》昆布《こんぶ》。取リ々はこぶ其中に。

千鳥といふは鎌田ノ隼人《はいと》清次が乙《おと》娘。親の出ッ世の便リにと望《のぞみ》有ル身の宮《みやづかへ》。友ほうばいにもにくまれぬ。顔形より心迄愛敬《あいきやう》有リてかはいらし。サア〳〵奥様の云付ケの通り。お備へ。物も残らす揃《そろ》ふた。此障子をかふしやんと立テ切ルともふ仕廻《しまひ》。ア、嬉しやと云ければ。ヲ、そなたは取リ分ケ（26ウ）嬉しい筈《はづ》。何がな御用聞たがりやる若旦那の誕生《たんじやう》日チ。都の軍も勝チじやげな。どうかかうかとお案じなされた母御様より。百増倍《そうばい》心がいそ〳〵千鳥殿。ハテ此おやかたに奉公する身嬉しいにかはりはない。イヤかはりの有ルせうこ云イましよ。若旦那のお立の時。長カひ別《わか》れにならぬ様にめでたふ凱陣遊《かいぢんあそ》ばし。お顔見せて下さんせと。涙かたてに抱《だき》つきやつたを見ているに。隠すがにくい擽《こそぐつ》て。白状さしよと立かゝれば。

地ハルのふ誤《あやま》つたこらへて下色され。詞心安い朋輩《ほうばい》中隠したには訳《わけ》が有ル。よい事には寸善尺魔《すんぜんしやくま》と。弟御の平次景高
様。此千鳥に惚《ほれ》た逆くどかるゝ其つらさ。わたしは兄御の源太様にと。そふもいはれぬ日比の気質《きしつ》。地ウこん
なけびらいハル聞すがいなやたまらぬウ〱。かんまへて（27オ）さたなしにと。ウ咄シの中の間の襖《ふすま》そつ中と押シ明。
ウ病の床《とこ》より立ウ出る梶原ウ平次景高。一ト重《ゑ》帯《おひ》に大ハル脇指《わきざし》伊色達《だて》紙詞子《かみこ》の大広袖《ひろ》を打かけ。ヤアあたやかましい女郎《めろ》
才《さい》めら。母人の伽《とぎ》はせないで何をほざく。地ウ奥へうせうハルときめ付フシられあいと一チ度に立て行。
詞コリヤ〱千鳥。そち計リはこゝに居《い》ィいや。私もお袋様の傍《そば》へ。と云ツてはずそふてな。そりやならぬ。
ねがふてもない上首尾《しゆひ》。地ウサアこい寝間《ねま》へとハル手を取レ色はふりはなし。詞おまへには御病気《びやうき》故。親御様の御供も
なされず。おるすに残つて御養生《やうじやう》のさい中。夫レにマアお寝間へとは。お傍《そば》にいるさへわたしはこはい。
ヲ、病人とは不粋《すい》な。薬呑ムは仮令《けれう》の見せかけ。鼻《はな》も引カぬ達者《たつしや》な平次。フンすりや。煩《わづら》ひはなされぬか。
ヲ、うそじや。そりやなぜに。なぜに（27ウ）とはよそ〱しい。そちをおれが手にいりやうで。邪魔《じやま》な

わろ達京へ登し。うまひるす事せふでな。作兵衛《さくびやうへ》と出かけた心中男。君よにくふは有まいがな。サイナ夫レ程迄わたしが事。思召て下さりますを忝いといはれぬは。京にいられますとゝ様は。鎌田ノ隼人清次と申シて。源氏普代《ふだい》の家来筋。頼朝様へ帰参《きさん》の望《のぞみ》。御出頭《しゆつとう》の此お家御奉公致しまするも。折もあらば右の願ヒ申シ上たい下心。お袋様のゆるしもないにおまへの仰に随《したが》へば。いたづら者とお隙《ひま》の出るはじやうの物。さすれば親の望も叶はず爰をよふ聞分て。ヤアだまれ千鳥。ゆるしがではれぬといふ物が。兄源太とはなぜねた。いやわたしは。

いやとはどこへ。たつた今儕《おのれ》が口から。よい事には（28オ）寸善尺魔と。ぬかさぬ先キからしつてはいれど。云出しては物がない。ハテ儕レさへおふといや。兄のわけでもいたゞく合点。かふ底《そこ》を打チわるからはいやとはいはさぬ。手も足もひつくゝつてむりやりに抱《だい》てねる。サアおふといふかいやといふてくゝらるゝか。どふじや〳〵と肩口捕《かたくちとら》へ手詰《づめ》に成て動《うごか》さねば。コレ無体《むたい》な事なさるゝと平次様の病はうそ。作《さく》病《びやう》でござりますと大キな声で云ますぞへ。夫レ云てたまる物か。いふならこゝ放《はな》して。放しては恋が叶はぬ。そんなりや云ます。いや云ハさぬと口に手を当《あて》せり合所へ。都より急用《きうよう》有ッて横須賀《よこすか》軍内《ぐんない》。たゞ今下着《ちやく》と打チ通れば。平次恟《びつく》りエ、邪魔《しやま》な所へと。うろつく隙《ひま》をそつと抜《ぬけ》千鳥は奥へ逃て行ク。

景高居直リ。(28ウ)ヤア軍内。急用とは気遣はし様子いかにと尋れば。さん候御惣領《そうれう》の源太殿。鎌倉へお返しなさるゝ其義について。奥様へ親旦那より御内意の此文箱。先へ参つてお渡し申せ。畏《かしこま》つたと急の道中。川々の水に隙取て漸《やう〲》只今。源太殿にも追付お着《つき》。何しや兄貴が戻《もと》る。エ、夫ではこつちの工面《くめん》がちがふ。何角《なにか》に付てめんどいわろ。何の為にかへさるゝそちやしらぬか。成程しつております。其様子はお前の御果報《くははう》。今度宇治川の先陣《せんちん》。佐々木の四郎に高名せられ。源太殿は後《おくれ》を取京中の物笑ひ。何が手ひどい親旦那御機嫌《きげん》さん〴〵。京で殺《ころ》せば恥の上塗《ぬり》。鎌倉で腹切ラせ汝をやるは検使《けんし》同前。必手ぬるく致すなときつと仰付られた。物領殿を仕廻ふてやれば。御家(29オ)督《とく》は指詰《さしつめ》おまへめでたふはおほさぬか。

詞めでたい〳〵。結講《けつかう》な吉左右能《さうよふ》しらせた。地ウ委《くはし》い事は奥で聞ふ。先其ハル文箱《ふばこ》を母人へと打連。ヲクリてこそ入にける。
地ハル時もあらせず表の方。ウ若旦那《わかたんな》の御帰国《きこく》とさゞめく中声々。ウ梶原源太景季《かげすへ》鎌倉一チのハル風流《ふうりう》男。ウ戦場《せんぢやう》より立帰る
烏帽子《ゑぼし》のかけを古実《こじつ》を中正《たゞ》し。ウ大紋の袖たぶやかにフシハル座敷《さしき》へ中通れば。地ウ母の延寿《ゑんじゆ》ハル何源太が帰りしか。ウいづら
や〳〵と色立出給ひ。詞ナフ源太。頼朝卿の御運《うん》つよく木曽殿を亡《ほろぼ》し給ふ。範頼《のりより》義経両大将を始め参らせ。
誰々もつゝがなしとは聞つるが。顔を見て落付ました。仰のごとく木曽の狼藉早速《らうぜきさつそく》に切しづめ。押シ続《つゞい》て
西国表平家の大敵責《せめ》亡し。地ウ法皇の震襟《しんきん》をウ休め奉らんと。ウ責じたくのハル評諚《ひやうでう》取々。ウ父にも益《ます〳〵》御勇健《ゆうけん》。先ッは
(29ウ) ウかはらぬ母人の御有様。ウ拝《はい》し申て祝着《しうちやく》と謹《つゝしん》で中述《のべ》ければ。
詞いやとよ源太。都はいまだ軍なかば。そなた一人帰されしは心得ず。父御の仰は聞ざるか。いや何共承ら
ず。鎌倉へ立帰り子細は母に尋よと。地ウ仰もいなみがたければぜひに及ばずハル罷帰る。ウ母人の御方へはいかゝ
中参りしやらん。ウ覚束《おほつか》なしと色窺《うかゞ》へば。詞ヲ、軍内か渡せし文箱。是見よ封もまだ切ラず。地ウ心元なやひらき見

んとふた押明る其隙に。千鳥は恋しい殿御の顔守つめても親子の中。包恋路のやるせなさ。中源太様常さへ旅はうき物に。たんと御苦労《くらう》なされしやらお顔のほそつた事はいな。おきもしわるふはござりませぬか。ホヽしほらしい。そちがとふで気が付た。身が発足《ほつそく》の時分には。弟平次病気（30オ）で有たが本服《ぶく》をしめされたか。アイナ本服やら立腹やら。達者《たつしや》過てめいわくを致します。夫は一段どこにおいやる対面《たいめん》したい。イヤ兄者人。平次是に罷有と。一間の内よりのさばり出。先何角指置《さしおき》て聞たいは。宇治川の先陣。見事な高名遊ばしたでござらふの。ヲヽ此源太が身に取ては。過分なる今度の高名。何高名とはコリヤ珍らしいお咄しなされ承らふ。ホヽ語《かた》つて聞さん承れ。去程に義経の御勢《せい》は。都合《つがう》二万五千余騎《よき》。山城の国宇治の郡に押寄る。比は睦月《むつき》の。末つかた四方《よも》の山々。雪解《とけ》して水倍増《かさまさ》りし彼《かの》大河《が》。宇治橋の中の間引はなし。向ふの岸には乱杭逆茂木《らんぐいさかもぎ》すき間もなく。鎧《よろふ》たる武者五六千川を渡さば射落《ゐおと》さんと。矢尻《やじり》を揃《そろ》へて待（30ウ）かけたり。かゝる時節《じせつ》に渡さずば。いつか誉《ほまれ》を顕《あら》はさんと。我君より給はつたる磨墨《するすみ》と云ッ名馬に。あおりはづしてゆらりと打チ乗。名に橘《たちばな》の小島が崎より逸散《いつさん》に。かけ出せば。つゞいて跡に武者一ッ騎《き》。春のあしたの川風に。さそふ轡《くつは》の音トはりん〳〵。誰レなるらんと。見帰れは古歌《こか》の心ににたるぞや。おぼろ〳〵と。白玉の霞《かすみ》の。隙よりかけ来るは。佐々木の四郎高綱。馬はおとらぬ生唼磨墨《いけずきするすみ》。二騎《き》相並《なら》んでざんぶ。〳〵と打入る。

コレ兄舎人《あにじやひと》。是迄は咄しもならふ。是から先キが勝負《しやうぶ》の肝文《かんもん》。自身《じしん》には　云にくかろ。兄弟のよしみ平次がかはつて咄さうと。いふに千鳥が聞キ兼《かね》て。兄御様の高名咄し。横合《よこ》から腰《こし》折ラずとだまつて聞ィてゐさしやんせ。ヤアいやらしいかたもつな。(31オ) われにはかまはぬ今の跡はかふであろ。佐々木は聞ゆる剛《かう》の者。兄貴《き》はしれたぬるま殿。ついに佐々木に乗負《まけ》て。いや〳〵〳〵何ンのあなたがまけ給はん。しらぬながら千鳥が推量《すいりやう》。敵は川を渡さじと水底《みなぞこ》に。大　綱小綱十文字に引渡《わた》し。駒の足を悩《なやま》せしに。頓智《とんち》の源太景季様太刀を。するりと抜《ぬき》給ひ。大綱小綱切リ流し〳〵。なされたでござんしやう。ヲ、千鳥がいふに違《ちがひ》なく。綱を残らず切払《はら》ひ佐々木が乗たる生唼《いけずき》に。三段ン計乗勝《のりかつ》たり。アレ聞キ給へ負《まけ》はなされぬ。ア、嬉しや夫レ聞て痞《つかへ》がおりたと悦べば。

平次頭《かしら》を打ふつて。某佐々木に成かはり一問答《もんだう》仕らん。其時高綱大音ン上。是々景季馬の腹帯《はるび》が延《のび》候。鞍《くら》かへされて怪我《けが》有ルなと声を（31ウ）かけたであらふがの。ホ、委《くはしく》も能ク しつたり。某はつと心付キ。弓の弦《つる》を口にくはへ馬の腹帯《はるび》に諸手《もろ》をかけ。引上。ゆり上しつかとしめる。コレ〳〵夫レがうつかり延《のび》ぬ腹帯を延たといふは。こなたの鼻毛《はなげ》を見抜《ぬい》た計略《けいりやく》。うぢ〳〵めさるゝ其隙《ひま》に。さつと佐々木が打渡つて。宇多の天皇九代の後胤《こうゐん》。近江源氏の嫡流《ちやくりう》佐々木の四郎高綱。宇治川の先ン陣《ぢん》なりと呼はりしは。天晴《あつはれ》手柄此方《こなた》は大恥。みぢんも違《ちがい》は有ルまいがと。倍《かさ》にかゝつて恥じむれば。源太は黙《もく》していらへなし。傍からハア〳〵〳〵とあせる計に女子気の。何とせんかたなく千鳥。平次景高せゝら笑ひ。どいつもこいつも吼《ほへ》づら。ハテ気味のよい事の。コレ母者人。惣領の恥かき殿を。仕廻《しま》へといふてきま（32オ）せうがの。其状おれにも見せさつしやれと。指出す腕《うで》をたゝきのけ。コリヤ此文《ふみ》は母への名あて。何が書ィて有ふと儘《まゝ》そちには見せぬ。母をさし置出しやばるなと。呵《しか》る声さへおろ〳〵涙又くり返す文ンの体《てい》に。心をいためおはします。

エ、子にあまいも事による。生ヶて置《おく》程親兄弟のつらよごし。コレ爰な腰抜《こしぬけ》殿。せめては親の催促《さいそく》待タずてこにやうと思ふ気はないか。それも成まい。世間ンは切ッ腹したにして其首はねて埒《らち》明ふと。すはとぬいて切かゝる刀の鍔《つば》ぎはむずと取リ。兄親に対《たい》しびろうの振舞《ふるまひ》。腰抜の手並《なみ》腰骨に覚へよと。引かづいてどうどなげ付ヶ。おこし立ず刀の背《むね》打チりう〳〵はつしとぶちのめせば。あいた〳〵と顔しかめはふ〳〵逃《にげ》てぞ入にける。（32ウ）

こりや〳〵千鳥。源太が母へ申上る子細《しさい》有。次へ参れと人をよけ。かく申さば景季が命惜《おしむ》に似《に》たれ共。ゆめ〳〵助ヵる所存《しよぞん》にあらず。此度宇治の合戦前。父にて候平三殿軍の勝負《しやうふ》を試《こゝろ》みんと。御ゆるしもなき的《まと》を射損《ゐそん》し。其矢がはからず大将の御白旗《はた》に当リしは。味方の不吉《ふきつ》父の不運《うん》。申訳ヶ立がたく切腹に極《きはま》りしを。佐々木の四郎が情ヶによつて君の御前を云ィ直《なを》し。父の命を助けたり。其場《ば》に某有合さず跡にてかくと承り。佐々木に逢ふて一チ礼をと。思ふ間もなく早合戦。宇治川の先ン陣《ぢん》は我も人も望《のぞ》む所。有ルが中にも川を渡すは佐々木と某。南無《なむ》三宝《ぼう》父の為には恩《おん》有佐々木。此人に乗リ勝《かつ》て（33オ）は侍の道立ずと。心一トつに了簡《りやうけん》さだめ。先ン陣を彼《かれ》にゆづり手柄させしは情の返礼《へんれい》。後《おくれ》を取リし某はもとより覚悟《かくご》の上なれば。恥も命もちつ共いとはず。先陣の高名におさ〳〵おとらぬ孝行《かう〳〵》の。高名と存ずれど白地《あからさま》申されぬは。武士と〳〵の誠《まこと》の情。父の為に捨る命お暇《いとま》申ス母上と。指添《さしそへ》に手をかくればやれまて源太。夫レ程しれた身の云訳《わけ》。父御へはなぜ云ぬ。

いや云訳を仕れば。佐々木が手柄《てがら》を無《む》にする道理。拠《よんどころ》なく母人へ申シ上ヶしも本意《ゐ》ならず。死後《しご》とても此事は御沙汰《さた》。なされて下さるな。いや〳〵。夫レは若気の了簡。今死では忠孝《ちうかう》にならぬぞよ。こは仰《おゝせ》共覚へず。義をしつて相果《はつ》れば忠も立チ孝も立ツ。いや立ぬなぜといへ。（33ウ）梶原の家は坂東の八平氏。其氏を名にあらはす。平三殿の惣領のそちなれば。名をは平太といふべきを。源太と付しは忝くも征夷《せいゐ》大将軍《しやうぐん》。源の頼朝卿石橋山のふし木隠《かく》れ。危《あやう》き御命助ケられし。平三殿を命の親と宣《のたま》ひて。地ウ勿体《もつたい》なくも家来の子を兄弟分ンハルに思し召れ。ウ源トの氏を給はり源太と名のらせ。源氏ウ嫡流《ちやくりう》の御召シある。ウ産衣《うぶぎぬ》といふ鎧迄下された烏帽子子《ゑぼしご》。ウ爰をよ色ふ合点しや。詞今命を捨てはな。産《うみ》の親への孝行《かうく》は立ふが。烏帽子親の我君へはどの命で御恩をおくる。地色ハル主なり親なり忠孝《ちうかう》が立ぬとは。ウ爰の色事をいふはいの。詞いや其御恩を忘れはいたさぬ。烏帽子親とは憚《はゞか》り有リ。主従《しうぐ》は三世の契《ちぎ》り（34オ）いきかはり死かはり。君に仕へる侍の魂《たましゐ》。

ヤレ情ない三世の契りの御主には。未来《みらい》でもあはれうが。親子は一ッ世此世計で又あはれぬ。地ハル母を置《おい》て死ふといふ子もどうよく。ウ殺せと書ィておくられしウ連合《つれ》は猶どうよく。ウわるい子でさへ捨かねるは親の因果《ゐんぐは》。

ましてけなげな子でないか。虫けらの命でさへ科《とが》ない者は殺されぬに。ちりあくたかなんぞの様に心やすそに捨よとは。父御計の子かいのふ母が為にも子じや物を。とひ談合に及びもせず軍内を検使《けんし》にやると。逸徹短慮《いつてつたんりよ》な此文ン体見るも恨《うら》めしいま〳〵しと。ずん〳〵に引さき〳〵口にふくんでかみしたき。夫トを恨子をかこちわつと（34ウ）さけび入給ふ。母の慈悲心《じひしん》きもに銘《めい》じ六根《こん》五臓《ぞう》をしぼり出《だ》す。涙もあつき恩愛《おんあい》の親子の嘆きぞ道理なる。

横須賀《よこすか》軍内憚《はゞか》りなくつつと通り。親旦那の御状御覧の上は申に及ぬ。某は検使《けんし》の役《やく》。サア源太殿。腹めされとにかり切て云ィ離《はなせ》ば。ヲ、覚悟《かくご》は兼て極めしと。身づくろいする所を母は立より取ッてふせ。ヤアどこへ腹とはそりやならぬ。恥かいた人でなし大小もいであほう払《ばら》ひ。手ぬるいてゝごの指図《さしづ》より。きびしい母が仕置《しおき》を見しよ。誰仲間《たそちうげん》共が古ル布子持ッてこい。早ふ〳〵と呼《よぶ》声にあつと答《こた》へて平次景高。古わんぼう引さげ出。申シ母人。此布子《のゝこ》どふなさるゝ。どふ（35オ）するとはしれた事。こいつめにきせかへて門ン前からぼつぱらへ。それこそ望む所よと無方《むほう》の主従《しうゞ》立かゝり。手ンでにもき取ル太刀ゑぼし。たゝき落されおつほろ髪。素《す》袍袴《わうはかま》の帯紐《おびひも》も引キしやなぐるやら引キ切ルやら。上着《うはぎ》中着の綾錦《あやにしき》古わんほうにきせかへさせ。腰にくひ入ル縄《なは》帯しめ付ケ。おれをさつきに投《なげ》おつた。礼は平次がおすねでいふと。椽《ゑん》より下へ踏落《ふみおと》し。さつてもきみのよいざまのと一チ度にどつと打笑ふ。

源太はかはりし我姿の。恥《はぢ》も無念も忍び泣。母は我子を助けん為人まへ作る皺面《じうめん》顔。いかるぎせいもにが口チも詞と心はうら表《おもて》。命がはりの勘当《かんどう》じやと思ふてかんにんしてくれと。云たさつらさ泣キ（35ウ）たさを胸に包《つゝめ》どつゝまれぬ。悲しい色目さとられじと。ヤア皆《みな》の者があのざま見て。おかしかるで母もおかしひ。あんまり笑ふて涙がでる。ハ、、、、、と高笑ひ泣よりも猶哀也。

千鳥はかくと聞よりも有にもあられず走《はしり》出。かはりし源太がうき姿二タ目共見もわかず。おどうよくな母御様。勝ッも負《まく》るも軍のならひ。誰しもかうした不覚は有ル物。父御様から殺せと有ルをお侘言《わびこと》はなされいで。阿房払《あはうばらい》の勘当《かんどう》のと是がほんの爺《てゝ》打チ母打。二人の親御に憎《にく》まれて源太様のお身がどこで立ッ。あれ程むごふなされたうへはもふ。堪忍《かんにん》して上まして下さりませいと計にて。かつぱとふして泣わぶる。ヤア此母が（36オ）さいはい。こしやくなそちが何しつて。コリヤよふ聞。源太めがあのざまは弟への見せしめ。あの恥を無念と思はゞ。西国へ責《せめ》下つて平家を亡《ほろぼ》し。手柄して我君の御用に立テば。ナ勘当《かんどう》はせぬ。ナ平次ナ心得たか。必《かならず》手柄を待ッている。母が詞を忘るゝなと弟が事に云なして。兄をはげます詞のなぞ〳〵とくより母の御慈悲《じひ》とは。しる程おもき源太がひたい土にすり付泣ゐたる。

平次景高したり顔。コリヤ千鳥。なんぼ吼《ほへ》てもかなはぬ。是からは分別しかへ。泥坊《どろぼう》めが事思ひ切リおれが云事聞さへすりや。母へ願ふてコリヤ奥様じや嬉しいかと。せなかたゝけばエ、けがらはしい聞ともない。にくまれ子世に憚《はゞか》ると。何国《どこ》迄はゞかり（36ウ）なされうがいやじや〳〵わしやいやしや。ヤアしぶといめらうめと掴《つかみ》かゝるを母押シのけ。何ンじや千鳥と源太が狂《くる》ふてゐる。エ、年よりひねた徒《いたづら》者。こいつはおれが仕様が有ル。源太めを追まくれと千鳥を引立奥に入。

コリヤ軍内。下部共に云ィ付ケきやつを早ふまくし出せ。イヤサおせきなさるゝな。母御の仰はともかくも某が存るは。コレかう〳〵と平次が耳にふきこめば。ヲヽそふじやよい分別と。二人白洲《しらす》に飛おり〳〵声をもかけず抜《ぬき》打チに。源太をめがけ切つくるさしつたりと引ぱづし。かいくゞる身のひねり軍内が諸ひざかき。のめらす隙を又切かくる。平次が刀もひらりとはづし。ひつ掴《つか》んでもん（37オ）どりうたせ。二人をふみ付立たるはこゝちよくこそ見へにけれ。

ヤア平次千鳥が事を根葉《ねは》に持チ。兄に敵対畜生《てきたうちくしやう》め。今踏殺《ふみ》すは安けれど。わるい子とても捨られぬと。母のお詞聞捨られず助ケて置。源太にかはつて孝行に仕れと。ゆん手にさし上ケくる〳〵とふりまはし。七八間うちつくれば。からき命をたすかりてあとをも見せず逃《にけ》て行。

ヤア軍内。親共からの使なれば儕レもどふも殺されぬ。そこを源太が了簡《れうけん》して。殺して仕舞《しまふ》仕様はりう〳〵是見をれ。うぬが刀でうぬが首。ころりと落《おと》すは自業自得果《じごうしとくくは》。源太は殺さぬ手計うごくと。いふより早く首と胴《どう》との生《キ》別れ。親（37ウ）子の別れ今一《チ》度母の御目にいや〳〵〳〵。仰に随《したが》ひ平家の戦《たゝか》ひ。四国九国の果迄もぼつつめ〳〵高名し。其時お顔を拝んずと思ひ明らめ立出る。うしろの障子《しやうじ》さつとひらく音に驚きふり返れば。母はすつくと立ながら。源太が方へは目もやらず。四国九国の合戦も。素肌《すはだ》武者では手柄《てがら》が成《ル》まい。勘当した子に持て行と教《おしへ》はせぬが。頼朝卿より給はりし産衣《うぶぎぬ》の鎧甲《よろひかぶと》。誕生《たんじやう》日の祝義とてかざらせて爰に有《ル》。我《カ》物を取て行に。誰《レ》がいなといはふぞ但《シ》はいらぬか。主《シ》もない此鎧早取おけ妐《こしもと》共。女子共はとこにゐる。こいよ〳〵と呼はり〳〵入給ふ。

ハア、重々深き《ぢう〳〵ふか》御憐愍《れんみん》忝し〳〵と。かけ上つて（38オ）鎧甲を取のくれば。思ひがけなき具足櫃《ぐそくびつ》よりずつと出たる妐千鳥。ヤアそちは爰に何《ッ》として。サア是も母御様のお情。不義をした科《とが》で此箱に入糾明《きうめい》さす。其跡は隙をやる。いきたい方へ連《つれ》立ていきをれと。おじひ深い御了簡《れうけん》。何母人がハツアハ、、、、有がたや冥加《めうが》なや。あだに思はゞ逆罰《さかばち》受ん。恐ろし〳〵是より直《すぐ》に。此源太が恥辱《ちじよく》をすゝぐ合戦の首途《かとで》。お暇《いとま》申シ奉ると母のかたを伏拝《ふしおが》み〳〵。おまめでござつて下さりませと。云ッも尽《つき》せぬ別の涙。しぼりかねたる袖の海ふかき御恩を蒙《かうむ》りしは。身一トつならぬ友千鳥泣々出しが又立とまり。ふりかへりては親と子の。はてし名残《なごり》のうき別れうき世に。うき身かこつらん（38ウ）

第三　道行君後紐《きみがうしろひも》

捨《すつ》る身を。捨ぬ。ほだしは子故のやみ。空もあやなき暁《あかつき》の。髪《かみ》も形《かたち》も宵《よひ》の儘《まゝ》。世のうさつらさ。かなしさを。いはぬ色なる山吹御前月さへ西に落人《おちうど》の。桂《かつら》の里のなんぎより。しるへのかたに一チ夜二夜。あかしくらせど忍ぶ身は。都ちかくも物うしと。けふ思ひ立俄旅《にはかたび》。人目をはづる。取なりは身にはゞ。もなき麻衣《あさぎぬ》の。木曽路《きそぢ》をへさして。行道の。あゆみくるしく。真砂地《まさごぢ》を。よむ計なる桂《かつら》川。お筆がせなにおふさむこさむ。猿《さる》のべゝかつてきしよ。(39オ)かつてめしたる若君の。あやうき所をのがれしも。まさるめでたき御運《うん》のつよさ。なき我夫《つま》の種《たね》よ形見《かたみ》よ。忘れ草。

やけのゝ。きゞす。夜の鶴。子をかなしまぬはなき物を。まして。いわんや人として。親の。別れを。白糸の。ちすじをわけし父君に。にたりやにたり。いたいけざかり。

あれ〳〵あれをみや。ふたつつれたる雲井の雁《かり》。古郷《こきやう》へ帰る我々も君の古郷へ帰れ共。おしのかたはのとぼ〳〵と。子に迷《まよ》ひ行さよ千鳥夫《つま》も迷はん三つ瀬《せ》川。四つ塚《づか》東寺《とうじ》九重《こゝのへ》の。都の。中はおのつからかたむく笠の打しほれ。今落人《おちうど》の身の上も。人(39ウ)にしられし白川の。水もよどみてあはた山。

あはれ父なき稚子《おさなご》をすかせばかたにすや〳〵と。うたゝねいりのよねんなき爰こそうばが懐《ふところ》と。所の名さへ。　ある物を。

お乳《ち》も添乳《そへぢ》もなゝきそなきそ。ひるねの夢はかはらねど。かはる姿のアヽ恥かしや。丸寝《ね》がちなる。我々に色も。有かと。袖たもと。ひくなひかせじ日のおかの。恋のとうげもこゑわびて。

いやといふのはな浮世のならひよさいな。底の心はホンニ。ゑしらいでさいな。それがじよいなまじよいな。はるかにうたふ　こゑ〴〵は。

松をしらぶる。（40オ）春風かそれかあらぬかこたましてやう〳〵。〽跡を老の身の。道におくれて鎌田《かまだ》の隼人《はいと》。娘がかたせ休《やす》めんと。抱《いだき》取ッたる駒若丸。おとせでおよれよい殿。ねん〳〵ねんねこせい。いとしひ殿よ花やろ。花やろ〳〵花一ト時と詠《なが》めても。君の命にくらべては盛《さかり》久しく。若君も父御の武《ぶ》勇《ゆう》を受ヶつぎて。生《おい》さき栄《さか》へましませと。諸羽《もろは》の宮に人々は。暫《しばら》くほつせ奉り。

今たどり行。みちしばもさいつ比《ころ》木曽殿の。鞭《むち》打チ給ふ所ぞと聞ヶば草木も外ヵならず。浮世なりけり世な

りけり。きのふめでたき人だにもけふはたゞよふうたかたの。(40ウ) あはづか原の討死を思ひやるさへ
悲しやな。矢一トつ来つて我カ夫《つま》のうち甲《かぶと》に射《ゐ》付ケしは。天の咎《とがめ》か武運《ぶうん》のつきか。終《つい》に其手て馬上よりおち
こちの土《つち》と成給ふ。所はあれよ。あの雲の。下こそ君のさいごばと。見るに付ケ語《かたる》に付ケ袖は。涙の春雨に。
しほれ侘《わび》つゝ山吹も心地《こゝち》すぐれず見へ給へは。立チ寄リいさめ慰《なぐさめ》ていざゝせ給へと御手を引。見渡せば。
春の日あしも。走井《はしりゐ》やならはぬ旅に身もつかれ。世のうき事を夕嵐さら〳〵さつと吹くれば。つまも裔《もすそ》
もひら〳〵〳〵。ひら〳〵〳〵と吹キ分クる。追イ分ケ過て大津の宿《しゆく》。今宵《こよひ》はこゝにかり枕。袖をかた
しく旅《たび》やどりつかれを。はらさせ　〽給ひける (41オ)

東路《あづまぢ》をのぼりくだりの。旅人も。二つと三つに追分ケや大津にならぶはたごやの。棟門《むねかど》多き其中に名高き
関《せき》の清水《しみづ》やが。とくより奥に客《きやく》とめて。料理《りやうり》拵《ごしら》へまないたの。音もてき〳〵亭主《ていしゆ》が気くばり。下女も男

もそれ〳〵に。茶運《はこ》ぶ風呂焼《たく》人とめる。門賑《にぎ》はしきたそかれ時。

あらたうと。道引給へ。観世音。はこぶあゆみの。順礼姿。背《せな》に国名を笈摺《おひづる》の年は六十《むそじ》に色黒き。達者《たつしや》作りの老人が。娘と孫を打連《つれ》て。胸にかけたるふだらくや。紀の路大和路打過キて。けふもくれぬる鐘《かね》の声。

三井寺に札納め爰かそこかと指《さし》のぞけば。亭主《ていしゆ》がかけ出てコレ親父様。お泊《とまり》なら脇ひら見まい。名代の清水や座敷《ざしき》がきれいな木賃《ちん》がやすい。サアおはいりと引とむれば。（41ウ）ア、是々めつたに引はつて着物《きもの》破《やぶ》つて貰《もら》ふまい。なんぼとめたがりやつても。木賃を聞にやぼか〳〵とはいらぬ親父。さあいくらじやきり〳〵云ッた。ハテ定リは三十なれどよいやうにしてとめましよはい。イヤよいやうとはよい衆の事。おらはずんどびんぼな西国。道々も杓《しやく》ふつて。順礼に御ほうしやで。貰《ひら》ひだめの米もあれど。たつた今跡の石場で。蕎麦《そば》をしたゝかしてやつたりや。腹袋に足が入てあす迄煮焼《にたき》も何ンにもいらぬが。ナント廿づゝでとめぬかい。ハアそりや安けれと順礼衆の事じや物。儘《まゝ》よ負《ケ》ましよ。イヤやすふはないぞや。銭の高《イ》が合点か。しかけてつかへは五分《ン》四五リン利が有すぎよ。サアそんならおよしわらぢとけ。サアぼんあがろヤアゑい〳〵と。地ハル襖《ふすま》隔《へだて》て次の間にフシ打くつろひで。

詞扨あるいたは。けふ（42オ）は大道そちも草臥《くたびれ》。おりや猶の事道べたで気計いらくら。船頭《せんどう》とすつぽんは。陸《くが》で埒《らち》の明ぬ物。やれしんどや腰いたや。ドレ其枕取てたも。ア、やい〳〵コリヤ槌松《つちま》よ。其襖明ん物じやこはいぞ〳〵。コリヤこゝへこいぢゝかんでやろ。ヱ、きたない涕《はなたれ》では有ぞ。ヲ、あれ〳〵又食《めし》ごり引出すはい。さりとは只手のないやつ。ヤほんに夫《レ》で思ひ出した。コレ〳〵宿の衆。とれぞちよつとたのんましよ早ふ〳〵。ヲ、是とつさん。けたゝましい何ぞいの。イヤ此食ごりがさ〳〵と洗《あろ》ふて貰《もろ》て。あすの出立の残りを詰《つめ》る。菜《さい》は茄子《なすび》に大根《だいこ》を取《リ》ませ。香物のこけら鮓《ずし》。地ハルたのんで置《おく》とへつらはぬ。ウたつみあがりのウとんきウよ声夫《レ》といはねど紛《まぎれ》なきフシ船乗とこそしられたり。

同し浮世に。憂《うき》思ひ。人忍ぶ身はおのつから。茅《かや》にも心 奥座敷《おくざしき》。山吹御前は先キ達ッて（42ウ）爰にやどりをかりそめも。ならはぬ旅につかれ果御こゝちれいならねば。お傍《そば》放れぬ鎌田ノ隼人娘のおふで諸共にいたはり。介抱《かいほう》する中に。何のぐはんぜも泣出す。駒若君のやんちゃ声。襖《ふすま》一重に聞クもきのどく。アレおよし。あちらの旅人も子が有そふなが扨てもせがむは。わやくいふな。アだましてもすかしてもおこりをるとどこにも迷惑《めいはく》。ハア、なんそやりたい物しやがヲ、夫レよ。わらべすかしはこんな時。今跡でかふた大津絵一チ枚《まい》やろと取出すを。槌松《つちまつ》が掴《つか》んではなさばこそ。いやじや〳〵と泣わめく。ヲ、こりや〳〵破《やぶ》るなやい。ヱ、しはい坊主め。コリヤよふ合点せい。此絵は座頭《さとう》の坊かふんどしを。犬がくはへて引所。こりや目がなふて面白ない。よその子にやってのけ。我にや是々衣きた。鬼の念仏かみくだく。撞木《しゆもく》を持ッてたゝきかね。くは（43オ）ん〳〵〳〵。イヤくはゝくはん〳〵と。

まぎらす内におよしが襖押明ケて。コレ申お隣《となり》の。おちいさいのがきつい泣やう。是しんぜましよと指出

ウ　色　詞

せば。おふでが取て押いたゞき。是は〳〵忝い。おまへにも子達《たち》が有ルに。よい物しんぜて下さんした。是々あつかホ、よいのじや。アレよそのやゝ御らうじませおとなしい事はいの。ヲ、あのおつしやる事はよふおとなしかろぞ。其わんばくさいぢわるで。どふもかふも成こつちやござりませぬ。おまへのは色白に美《うつくし》いよいお子やの。おいくつでござります。サア此お子は三つなれど。年よはでござんすはい。扨《ツ》もいや〳〵。そんなりや是とおないどし。同し三つと云ながら此坊主は。二月生れで年づよ。ホンニ夫レでか大がらにも有たくましい子でお仕合。見れば順礼《じゆんれい》さしやんすそふなが。きどくな事や所はどこぞい。アイ（43ウ）所は是から大かた十二三里も下モ。コリヤおよし。主の臍《へそ》さぐるやうにヱぐづ〳〵した物の云やう。たつた一ト口つい津の国の船頭しやといふたがよいはい。ア、せはしない。ちつと人にも物いはせたがよいはいの。マア聞てくださりませ。此様に乳呑《ちのみ》子をかゝへ長旅を致しまするも。私が稚《おさな》なじみの。此子が父《てゝ》は随分達者《たつしや》な人で有たが。ふと風の心地と病付たが定業《ちやうこう》やら。

地色中

間もなふ死れてことしがてうど

三年に当ますれど。何を供《く》養施《ほどこし》も内証のかいは廻らす。西国は結構《けつかう》な事じやと聞ケば。せめて足手を引て成と夫のぼたいをといたさに。思ひ立ての順礼と語るを聞て山吹御前。あの子も三つ我子も三つ爺親に別れたとは。果報《くはほう》つたなやいとしやなふ。自《みつから》とても殿御に離《はな》れ便リなき身の旅の空。世にはにた事も有物と

(44オ)身につまさる丶御涙。

アレ聞たかおよし。あなたも御亭《てい》様がないといやい。そりや悲しひは尤じやが。いき身は死身合せ物は放《はなれ》物。なんぼ泣てもかへらぬこと。さつぱりと明らめて早ふ男を持しやりませ。ハテそふなけりや我も人も。肝心《かんじん》の商売か成ませぬ。夫レでこつちも近比幸な者聟に取たが。此およしが楫《かぢ》の取やうがよい故か。何時共なふ帆柱《ほはしら》立て。乗まする押まする。船一チまきならござれ〱。そこておらは一たすかり大船に乗た心。外に望は何ッにもないが。たつた一色サアいづくのうらでも。ない物は金とばけ物。有ル物は質《しち》の札と借銭《しやくせん》。こいつも根継《ねつき》でござります。見りやおまへ方はよい衆そふなが。とこもとからどつちへござる

と。地ハル問《とは》れておふでが色取リ繕《つくろ》ひ。詞サア我々は都をはなれ。地中ウ片山里から信濃路《しなのぢ》へハル心ざしヱ、色聞へた。（44ウ）詞善光寺《くはうじ》参りじやな。

ヲ、いかにもそれ〳〵。夫レに付てなんぎな事は。是にござるお主様が俄《にはか》の御病気。アお道理でも有。ついに是迄道一チ里とおひろいなされた事なければ。おつかれの出るも尤《もつとも》。わしらが足さへわらぢにくはれて。ホ、まめができたでこさりましよ。そりや針《はり》でつかしやりませ。そふたい豆《まめ》といふ物は。突《つく》とじ〳〵汁《しる》が出まする。ア、是とつさん。ひよかすかと出ほうだいなんぞいの。イヤひよかすかじやない。よふなる事をいふてしんぜる。地色ハルアレまたいのヲ、フシ笑止《せうし》な人やと袖おほへは。

詞イヤ〳〵ちつ共くるしうない。地ウ最前《さいぜん》から手前も出て。ウ挨拶《あいさつ》するも合点なれど。ハル却《かへつ》て興《けう》もさめふかとわざとひかへて色居申シた。詞今娘がいふごとく御主人の御病気親子の者が御介抱《かいはう》も。旅宿《りよしゆく》なれば万ン事心に任《まか》せず。何かな（45オ）お慰と思へ共。口おもたき我々ては埒明ぬ。正真《しやうじん》の旅は道連レ。かふ打よるも他生《たしやう》の縁《ゑん》。

サア〱遠慮《ゑんりよ》なしに何成共。お気のはる〻咄しを頼む。ア、旦那殿こりや迷惑《めいわく》。おらは咄《シ》は何《ン》にもしらぬに。ヲ、有ぞ〱たつた一《ト》つ咄しましよ。昔《むかし》々ぢいは山へ柴《しば》かりに。ば〻は川へせんだくしに。ア、是々。そりやあんまり。子供もしつた昔咄ふるい〱。サアふるいによつて洗濯《せんたく》しまする。洗《あら》ふてもみがいても。(地色ウ)あたらしうならぬ物は寄《ル》年と此顔の。(ハル)まつ(ウ)黒なはしつかい牛《うし》(ウ)もふねたとよこさりましよと。(ウ)蒲団《ふとん》てん手にねころびて。(ウ)咄しなかばへ亭主《ていしゅ》(色)がによつこり。(詞)ハア、コリヤ皆まだお休《やすみ》なされぬか。さらばあんどを取《リ》ましよかい。此儘《まゝ》置《ケ》ば油代が十文出ますが。ヲ、そりや合点じややつぱり置《イ》たり。爰で一《ト》つ談合が有《ル》。両方兼た此行燈《あんど》。(45ウ) そつちもこつちも勘定《かんぢやう》づく。何《ン》と。三文まけてもらをかい。ヘツ扨《ツ》もこまかい虱《しらみ》の皮《かは》。イヤおらが虱より此ふとんはどふやらうぢ〱。千《ン》手観音《くはんおん》はおらぬかや。ハテ勿体《もつたい》ない順礼が観音嫌《きら》ふてよい物か。信《しん》ありや徳有《ル》奇特《きどく》には。道中けがのないやうに。(地ハル)乗うつ〻てござりましよと笑ふて。(ヲクリ)〽勝手へ入にけり。

文弥詞 跡は互に旅草臥《くたびれ》子供のそへぢ肘《ひぢ》枕。地ハル 咄のあどもうた ウ ゝねにとろ フシ中 〱。地ウ 寝入ル折 フシ こそあれ。

地ハル 村中をかけ廻るあるきがに 色 よつと門口から。詞 御亭主内にかヲツト何ンじや。イヤ何じやはお尋者きびしい御詮義《せんぎ》。委《くはしい》ことはきて聞ヵしやれ。さあ〱今じやちやつと〱。ホイそりやいかざ成ルまい。遅《おそ》くば庄屋のたくら者。又あたまから噛《かむ》じや有ロと。地ハル 気もわくせきだかた〱に フシ 羽織《はおり》引かけ出て行。

ハルフシ 既に其夜も。ふけ渡り。地中 遠寺《ゑんじ》の（46オ）鐘もかすかなる。本フシ ともしびほそくかげさして。ウ 四方に人音しづま ウフシ りぬ。

歌ウキン 旅ぞ共しらぬ稚子《おさなご》。隣《となり》どし。地ウ 宵寝《よひね》まどひの目をぽつちり。ハル ちぶさはなれてそろ〱と。ウ 這《はい》出てひとりにたく〱 色 笑ひ。つむりてん〱てうち〱あはゝ。ハルフシ 間ィの襖をこへ行ば。地色 中 こなたの子も出てはい廻り。ハル う ウ なづき合ッて寄リこぞり。中キン おせ〱こぼうしがおないどし。ウ 互にあいするごとくにて。ウ きげんゑがほのしほの目細《ほそ》目。ウ きせるくはたく〱手ずさひや。菅《すげ》笠取てきたは松茸《たけ》 色 ほしがる顔で。ウ つかめばやらじとひつはり中合ィ。フシよねんたはいもなかりしが。

地ウ悦ぶ先ｷにほつと欠《あくび》も子供の常《つね》。ウ又行燈《あんどう》に手をかけて。ハルこなたが引ｹばあなたも引突戻《つきもど》せば押かへし。ウ引あふ拍子《ひやうし》に土器《かはらけ》ゆり込ﾐ。ウ燈はつたり中ウまつくらやみ。ハル我と我ｶでに驚《おどろ》きてわつと泣出す子供の声。ウ寝（46ウ）耳に恟《びつく》り目さます人々。ウこりや何事フシとうろつく内。

地ウ亭主が注進《ちうしん》先ｷに立。ウ梶原が家来ハル番場の忠太。大勢引連かけ色来り。ノリ詞それ遁《のが》すなと下知すれば。とつた〳〵と乱れ入ﾙ。地ウ音ﾄに驚《おどろ》くハル家内の騒動《さうどう》。ウふるいわなゝきあつたふた。危《あやう》さこはさもくらまぎれ。行当《あた》ウるやらこけるウやら上を下へと三重 上〳〵立さはぐ。

フシハル風もはげしき。地ウ夜半の空星《ほし》さへ雲ハルにおほはれて。ウ道もあやなく物すごき裏《うら》はウ田畑《たばた》を隔《へだて》の大藪《やぶ》。ウ押分ｹかき分ｹ。フシ忠義一ﾁ途《づ》にかい〳〵敷。地色ハルおふでは片手に若君いだきウ山吹御前の御手を引。ウかけ色出て息《いき》をつぎ。詞扨もひあいや危《あやう》ひ事。と、様は多勢をふせいで跡から追付ｸ。早ふ逃《にげ》よと有ﾘし故。めつたむしやうに走《はし》つても。

くらさはくらし勝手はしらず。どつちへ逃てよかろふとうろつく向ふへ数多《あまた》の人（47オ）声。又むら〳〵とかけ来り。遁《のが》さぬやらぬと無二無三打ッてかゝれば叶はじと。山吹御前に若君渡し。一ト腰抜《ぬい》てはつし〳〵。てう〳〵つばさの早はざさそく。飛ちがへ切ひらき弓手になぐりめてに受ケ。ひるまずさらず戦《たゝか》へば。さしもの大勢たまり兼逃《にぐ》るをやらじと追て行。

跡にはあ〳〵山吹御前。長カ追《おい》しやんな戻つてたも。此隼人はどふしやつた。アヽきづかひやあぶなやとあせる向ふへ打チ合切リ合切結《むす》ひ。追つまくつつかけ来る番場を相手に鎌田ノ隼人。忠義にさへたる切ッ先キ刃《は》先キ。受ケつながしつ上段下段。秘《ひ》術《じゆつ》とつくし戦ひしが。忠太がいらつて打ッ刀。受ケはづして弓ン手の肩《かた》先キけさにずつぱと切さげられ。心は鬼神とはやれ共。腕《うで》もよはり目もくらみ。足を立テ兼たぢ〳〵〳〵。よろ〳〵とよろめく所を。付ケ入付ケ込たゝみかけ（47ウ）とゞめの刀一トゑぐり。はつと驚く山吹御前。逃《にが》しも立ず向ふへつゝ立。サア女其世《せ》倅《がれ》渡せ〳〵。ヤア何者なれば此狼藉《らうぜき》。様子が聞たい合点が行ぬ。

ヲ、様子はそつちに覚有ル筈《はづ》。朝敵謀反《むほん》の義仲か世倅。敵の末は根《ね》を立て葉をからす。ハア、ぜひもなや。此子一ト人リ助たとてさまであたにもかいにも成まじ。生としいけるものごとに物の哀《あはれ》はしる物ぞ。取リ分ケ武士は情をしる。自《みづから》はともかくも此子が命を助ケたい。慈悲《じひ》じやくどくじや後生《ごしやう》じやと。涙と共にわび給ふ。

ヤアあまちこいならぬ〱。当歳《とうざい》子でも男のがき生ケ置《おい》ては後日のあた。くりことといはずとサア渡せと。

飛か丶つて引キ取レば。わつと泣子をはなさじと取リ付キ給ふをもぎはなし。突飛《つきとば》せば又すがり付。はねのくればむしやぶり付キ（48オ）やらぬ〱と泣給ふ。ヤアめんどふな女めと肩《かた》先キ抓《つか》んで投付《なげ》クれば。うんと計に息《いき》たへ〲。其隙に若君を。ちうに引さげ首はつしと打落し小脇にかい込飛がことくにかけり行。

山吹御前は夢心地。むつくとおきてハア悲しや。西も東も弁《わきま》へぬ此子に科《とが》はなき物を。むごやつらやどうよくや。かへせ戻せの声も遙《はるか》におふてが聞付ケ。息を切ッて立帰りはつと驚きだきか丶へ。コレお心は慥《たしか》なか。若君様はどこにござる。様子をおつしやれさあどふじや。〱とせき切て。とへばこたへもくるしげに。ホ、お筆か遅《おそ》かつた。情なやたつた今追ッ手の者が爰へきて。隼人も討れ駒若も殺された。ソレ首切て逃《にげ》たはいの。ヱ、と仰天狂《げうてんきやう》気のごとく。あきれて詞も出ばこそ。胸もはりさく悲しさの。涙はら〱立たり居たり。身をもがき歯《は》を（48ウ）かみしめ。ヱ、口惜《おし》や今一ト足早くばなあ。女でこそあれやみ〱とうたしはせまいに。シテ其切たやつはどつちへ逃た。顔見しつてござりますか。ア、此くらさでは夫レもしれまい。名はお聞なされぬか。イヤ〱顔も名もしらねど。梶原が仕業《しはざ》であらふ。かはいやわつとたつた一声。泣たが此世の暇《いとまこい》乞。父御と云ィ子と云刃にかゝりはかなきさいご。剰《あまつさへ》是迄付添《そひ》。忠義をつくす隼人迄爰で死ネとの約束《やくそく》か。こはそもいか成先キ生の報《むく》ひか罪《つみ》か浅ましやと。御身もたゆるさけび泣。おふでも有ルにあられぬ思ひ。父のさいごはお主へ忠義悔《くやむ》心はなけれ共。おいとしや駒若様。けふの今迄あいらしうわたしを廻し。片時キ放《はな》さずいだかれてないつ笑ふついたいけな。お顔をやつぱり見るやうなと。くどき立〳〵声も。惜《おしま》ず嘆きしが。（49オ）涙の内に心付キ責《せめ》て一ト目若君の。お死骸《しがい》成リ共見ん物と。あたり見廻し尋る心も空も闇《やみ》。あやしや血にそむ稚《おさなき》からだ。手にさはるをかきいだき。涙と共に撫《なで》廻し〳〵。ハア、此きる物はどふやら手ざはりもちがふ。そして何やらびら〳〵とこんな物はめさぬ筈《はづ》。合点がいかぬとよく〳〵すかし見。ヤア是は違ふた。申シ々。こりや若君ではござんせぬ。ヤア何ンといやる駒若でないとは。ハテ此しがいは笈摺《おひづる》かけてゐるはいな。どれ〳〵ほんにかはつたこりやどうじや。是は〳〵と二度恟《びつく》り。ム、扨は今の騒動《さうどう》に。相宿の子と駒若と取違へたかハア悲しや。ア、是々そりや何おつしやる。悲しい事はござんせぬ。コレ取ちがへたのでな。若君のお命にきづかいない。是則《すなはち》天の恵《めぐみ》御運ンのつよさ。アツア嬉しや〳〵有がたや。コレお悦び（49ウ）なされませ。コレ申シ々。是はしたり。なぜ物をおつしやらぬ。ハア、又めまひがきたそふな。是は〳〵ヱ、お気のよはい。ふがいない事では有ぞ。是々申シと。いへ共よはる身の上に。悲しさつらさ気をもみ上ケ。又嬉しさにがつくりと引キ取ル息《いき》もあへなきさいご。

おふではあはてうろ〳〵きよろ〳〵。こりや何とせふどふせふと。脈《みやく》取て見つ耳《みゝ》に口チ。是々申シ。山吹様いなふと。いふ声さへ人を憚《はゞか》り。思ひ切て呼《よば》れぬか。ヱ、情ないヱ、どんなと。心は千々《ちゞ》にくだけ共。早色かはり手足は氷《こほり》とひへ切て。押シうごかせど其かいも。涙先キ立魂《たましゐ》も共にきへいるうき思ひ。大地にかつぱとふしまろび。声の限りを泣つくす理《ことは》り。とこそ聞へけれ。

やゝ有て顔を上。ハア、そふしや〳〵かへらぬ事。悔《くやむ》まじ嘆くまじ。一ト先ッ此場《ば》を立退《のき》て妹千鳥と心を合せ。御主のあた父（50才）の敵。逃隠るゝ共天地の間。命限《かぎ》り根《こん》限りやはか助ケて置クべきがと。かけ出しがイヤ〳〵〳〵。夫レより大事の〳〵若君。片時《へんし》も早ャく取かへさふア、いや待テしばし。死骸《しかい》を此儘捨置カれず。無縁《むゑん》の此子父のからだ諸共に。隠さんとは思へ共前後にみちたる多勢の追手。隙《ひま》どらば却《かへつ》て妨《さまたけ》。せめてお主の面影《おもかけ》を先ッ々かしこへほうむらんとあたりに。しげる竹切ッて。かき上のする笹《さゝ》の葉は。

上なき魂《たま》おくる輿車《こし》。ながへもほそき千尋《ちひろ》の竹。ナヲス中肩《かた》に打かけひく足もしどろ。ハルもどろに定めなき。ウ淵瀬《ふちせ》とかはる世の憂《うき》をキン身一つにふる涙の雨の。ウおやみもやらで道のトルべの草葉も。ウ入ひたすキン袖袂なく〳〵。上たどり。三重上〽行空の。

地中難波潟《なにはがた》ウあしハルフシ火焼《たく》やの。片庇《かたびさし》。地色中家居には似ぬハル里の名や。福ウ島の地はおしなへてウ世を海中渡る船長《おさ》のウ。有ルが中にも（50ウ）権四郎とて年も六つをハル十かへりの。ウ松右衛門といふ通り名はウ養《やしな》ひ聟に譲《ゆづり》やる。ウ門に目当テの松一ト木ウ所に蔓《はびこる》中親仁有。志《こゝろざす》ウ日にあたり近ン所のハル婆嚊達《ばゞかゝたち》。フシお茶参れとて招《まねか》れて。

詞ナフ権四郎様。けふは志《こゝろざし》の日じやお茶呑《のめ》と。およし様の直《じき》にお使がら共ない忝い。地ウ誘《さそい》合せて参つたとハルどや〳〵内に入ければ。詞よふこそ〳〵けふは娘が前の連レ合。此槌松《つちま》めが本ンのとゝが三年ンの証《しやう》月命ィ日に当タつた故渋《しぶ》ひ茶を焼《たき》ました。呑でゆつくりして下され。常《つね》なら箸《はし》でもとらせます筈なれど。しつての通り足よはな娘や孫を引連レて順礼《じゆんれい》の長カ道中。物入リの跡何ンにもしませぬ。とはいへ娘なんぞないか。

地色ハル 何ンぞと申たら人手はなし此子はせがむ。ほんの心計をばあがつて御回向《ゑかう》頼ますと。霰《あられ》まじり（51オ）の煎豆《いりまめ》に花香《が》持せて汲《くみ》出せば。

詞 もふ三年ンに成リますか。ア、月日に関守《せきもり》すへざればじやの。今の松右衛門殿は御ざつて間もなく。しみ〴〵と付合ねば心入レはしらぬが。死しやつた此槌松のて、ごはてうど此人参《じん》のふとにのやうに。毒にならぬ人で有たにいとしや〳〵。南無阿弥陀《なむあみだ》。地ウ 皆《みな》回《ゑ》向してお茶まいりませ。海鹿《ひじき》のおあへ此たんぽゝ。扨ッもむましと舌鼓《したつゞみ》。茶請ケに咄シ噛《かみ》まぜて仇《あだ》口々のやかましさ。皆船ン頭の女房とて乗合ィ船のごとく也。

詞 ヤアよいついでじや権四郎様お尋申事が有。別の事でもない此わるさ殿。連レて順礼なさるゝ迄は色黒に肥《こへ》ふとりて。年よりせいも大がらに。病ヒ気《け》なふてほんの赤松はしらかしたやうに。門を家と遊《あそ》びやるを見て（51ウ）は。あやかりものじやとうらやんだ子が。何として又此やうに色白に疲《やせ》こけて。思ひなしか顔のすまいもかはつて。背《せ》もひくふよは〳〵と外へとては一ッ寸ン出ず。地ウ あれが順礼のきどくか観音《くはんおん》様の御利生《りしやう》かと。打チ寄ッては是ざためんよな事やと尋れば。されば其事。ありや前の槌松しやござらぬちがふた〱。違ふた訳《わけ》思ひ出すものふ恐ろしや。聞てくだされ。娘よ。何日《いつか》の夜やらで有たな。はて廿八日のヲ、夫レ々。又跡の月の廿八日三井寺の札を納《おさめ》て。大津の八丁にとまる夜。何かはしらず御上意じやとつた〱と大勢の侍が。是見さしやれ咄しするさへ身がふるいます。ほんのせはにいふうろたへては子を倒《さかさま》。どふおふたやら娘が手を引ィたやら。走《はしつ》たやら飛ンだやら（52オ）漸《やう〱》毒蛇《どくじや》の口を遁《のが》れ。逃ケて行先キは又狼《おゝかめ》谷。谷の水音松吹ク風も跡から追ッ手のくるやうに思はれ。扨も命は有物かな真黒《まつくろ》の夜に四里たらずの山道を。息《いき》一つつがばこそ。水一ト口呑ばこそ。命から〱伏見へ出て。初めて脊《せな》に負《おゝ》た子の顔見れば南無三宝。相宿の襖《ふすま》ごし。宵に咄シもしたわろが。連レた子と取違へたに極つた。大義ながら一ト走《はしり》ゐて。もと〱へ取かへてきてくれと娘はせがむ。ヲ、尤取リ戻してかふと思ふ程先キのこはさ。いかな〱一ト足も行カれるこつちやない。今には限《かぎ》らぬ取かへす折が有ふ。先キのわろも子を取違へ。人の子じやとてどろくへろくにはしておかぬ筈。此子さへ大事に育《そだて》て置ィたら。三十三所の観世音のお力。枯《かれ》たる木に花さへ咲《さく》じやないか。一先ッ（52ウ）内へ戻つて。つぶした肝《きも》をいやしてからの上の事と。昼船《ひるふね》に飛乗《とびのつ》て戻る中チ。乳呑《ちゝのも》ふと泣ク。持合セたを幸に。娘が乳呑せたら夫レなりに月日も立チ。名もしらねば呼《よび》付ヶた槌松〳〵といや我名と心得《へ》。祖父《ぢい》よ〳〵となれなじむいた〳〵しさ。今ではほんの槌松めも同前に。かはゆござるといふ声も咽《のど》に。つまらす老心。

娘も共に涙くみ。時の災難《さいなん》とは云ながら。縁あればこそ此子が手塩にかゝり。他人かましうもする事か。嘆様〳〵と此乳を。呑もすりや呑しもすれ。馴染《なじめ》ば我子も同じ事。此子憎《にくい》では夢いさゝかなけれ共。けふの亡者《まうじや》の手前も有ならふ事ならてつ取リ早ふ。もと〳〵へ取リ戻し度《たう》ござんすと語ルるを聞て婆嚊達《ばゞかゝたち》。夫レで疑ひ今晴《はれ》た。大願立テの西国廻り（53オ）げんぜみらいの観音様の引合せ。あつちから槌松を連レて。やがて尋て見へましよぞいのふ。必《かならず》きな〳〵思はぬがよい。サア皆の衆あんまりお茶呑ンでけつくお腹《なか》も昼さがり。いざござれお暇《いとま》と打チ連レ出る門トの口。

械《かい》の先に笠かつ付ケ。打かたげ立帰る聟の松右衛門。ホこりや皆お帰りか。けふは前の聟殿の三年ン忌《き》。内に居て共々御馳走《ちそう》申筈《はづ》を。遁《のが》れぬ用事で罷出近カ比の亭《てい》主ぶり。まそつとゆるりとはなされゐで。まそつとの段かいの。ゆるり鑵《くはんす》子の底《そこ》たゝいて帰ります。余り茶には福が有ル呑でお休なされやと住家〳〵に立帰る。

ハア親父様今帰りました。茶事の間に逢《あは》ふ釜の下でも焼《たか》ふと。気がせいても相人《て》はせかぬ大名のゆつたり。遅《おそ》なはつた嘸《さぞ》お草臥《くたびれ》(53ウ)女房共太義で有たの。何ンの太義な事はないおまへこそ嘸おひもじかろ。ぼんよ。とゝ様お帰りなされたかとなぜお傍《そば》へいきやらぬ。どりやまゝ上ふと立あがるコレ〳〵女房。まだほしうない望な時にこちからいおふ。扨申親父様。大名の中に梶原殿は。取リ分ケの念ンしやと申がちがひはない。お召シによつて船ン頭松右衛門参ン上と奥へ云て行。やゝ暫《しばら》くして御家老《からう》の彼《かの》番場の忠太殿がお出なされ。先キ達ッて指シ上た逆櫓《さかろ》の事書。一トつ〳〵尋る程にける程に。問《とい》殺した其上て其通申あぎよ。暫く待テ。よふ暫くで有ふぞ。なゝの三時待タせて置イて殿が直にお逢イなさるゝ。地ウ是へお出なさるゝと其おも〳〵しハルさ物云イ色のかたくろしさ。詞船頭松右衛門とは儕レよな。智謀軍術《ちぼうぐんじゆつ》たくましき義経（54オ）へ。此景時が能ゥ存ぜしといふ逆櫓の大事。おろそかに聞請がたし。儕レ舟に逆櫓を立ての軍。調練《てうれん》したる事や有ル夫レ聞んと問かけられ。此度親父様に習ふて。逆櫓といふ事初メてしつた此松右衛門。返答《へんとう》にこまるまいか。なんきせまいか。ほつとせしが分ン別致し。御意《い》ではござれ共売《ばい》船ンの船頭ふぜい。地ウ軍といふ物は夢に見た事もござらぬ。ハル逆櫓の事は我らが家に伝《つた》へ。ウ能ク存て罷リ有リますなどゝ申て間に合を色云ッたれば。詞ム、さも有リなん。然らば汝チ覚有ル船頭をかたらい。今宵《こよひ》ひそかに逆櫓を立テ。船のかけ引手《しゆ》練して其上にしらせよ。地ウ事就《じやうじゆ》成せば御大将の召シ船の船頭はハル汝たるべし。ウ御褒美《ほうび》は此梶原が取持チ。ウながく船頭の司《つかさ》として。ウ莫太《ばくだい》の財宝《さいほう》を下さりよと有直キ（54ウ）のお詞。ウ其嬉しさに初メのじゆつなさ打忘れ。ウあた色ふたと帰りがけ。

詞日吉丸の船ン頭の又六灘吉《なだよし》の九郎作。明神丸の冨蔵《とみぞう》。こいらは梶原様のお船の船頭。幸《さいはい》三人を相手にして日暮《くれ》から。地ウ逆櫓けいこに此方へ参る筈。ウ御教《おしへ》なされた手ぎはを見せ付ケ立ツ身ン出世ハルはたつた今。ウ是と申スも御指《し》南《なん》の御影《かげ》中忝い。ウ坊主よ悦べ。結構《けつかう》なべヽきせて翫《もちあそび》ハルにあかしやうぞ。ウ女房共親父様悦んで下されと。

フシ語《かた》る聟より聞嬉しさ。

詞いやさ不器用《きよう》なやつは千年万年教《おしへ》てもらちやあかぬ。まんざら素人《しろと》のわりさまが。入聟にわせられて一チ年ンも立ツや立タず。天下様の弟御の召サるヽ御船の船頭するやうに成ルといふは。地ウおれが教た計リじやない。ハル其身の器用がする事でおじやらし（55オ）ますよ色めでたい〱。ウ聟殿の草臥《くたびれ》休め。娘十二文持ツて色走《はし》らぬかい。詞イヤ〱〱御酒も帰りかけに九郎作か所で下された。一ツ生覚ぬ大名の付キ合。膝《ひざ》はめりつく気ぼねは折レる。地ウ播磨《はりま》灘《なだ》で南風《ようづ》に逢《あふ》た様なめにあふてハル頭痛《づつう》まじり。ウ草臥たといふ段ではない。ウ暮レ迄はまだ間も有ふ。ウ親父様御ゆるさりませとろ〱と色一ト寝《ね》入《いり》。詞およし是見や。坊主めが眠《いねふる》は幸ィとヽが添乳《そへぢ》せん。

ねん〳〵ころゝとかきいだき。納戸《なんど》の内にぞ入にける。娘裾《すそ》に何ッでも置たか。出世する大事のからだ風ひかすな。祝《いは》ふて舟玉様へ燈明《とうみやう》もとぼせ。御神酒《みき》上たい買《かふ》てくれぬかい。買迄もない是をお備《そな》へなされませと。棚《たな》からおろす難波焼《やき》。ちろりと用意《ようゐ》があつたなと。老のじやれ言軽口《ことかるくち》も神慮《しんりよ》（55ウ）は重《おも》き。一ッ対《つい》の。徳利に余る親心。妻は火燧《ひうち》の石の火に夫トの威光《ゐくはう》かゝやけと。油煙《ゆあん》も細《ほそ》き燈明《とうめう》に。心をてらす正直キの神や。光リを添《そへ》ぬらん。

妻かふ鹿の。果ならで。なんぎ硯の海山と。苦労《くらう》する墨憂《うき》事を数書クお筆が身の行衛。いつまで果し難波潟《がた》。福島にきて事とへば門トに。印シのそんじよそこと。松を目当に尋より。ハア御免ンなりましよ。松右衛門様はこなたか。お名をしるへに遙々《はる〴〵》尋参つた者。御逢《あい》なされて下さつたら忝ふ御ざんしよと。物こしのしとやかさ。アレとゝ様。松右衛門殿に逢たいと女子がきた。ろくな事では有まいと跡先キしらで女気の。早悋気《りんき》する詞のはし。

きやうがるたしなめ。松右衛門にあふて姉じやといふても悋気するか。夫レ程（56オ）気遣なら呼込ンで。逢《あは》せぬ先キに聞たが能《よい》。どなたじや女中。どつからござつた。松右衛門内に居まする遠慮《ゑんりよ》せずとはいらしやれ。夫レはまあ〳〵お嬉しやと。笠解《とき》捨て内に入。おまへが松右衛門様かお近カ付でなければ。お顔見しらふやうはなけれ共。なけれ共なりやなぜござつた。

サア申シ何がしるべにならふやら。摂州福島《せつしうふくしま》松右衛門子。槌松と書イた笈摺《おひづる》が縁《ゑん》に成て。ヤアそんならこなたは大津の八丁で。又跡の月廿八日の夜の。アイお子様を取違カへた者でござんす。道理で見た様な顔しやとおもふた事。是は夢か現《つゝ》かいのふおよし悦べ。槌松を取違へた人じやとやい。此方からも行衛尋てもと〳〵へ取戻す筈なれ共。何を証拠《せうこ》に尋て行カふ手がゝりもなく。泣イてばつかりいました。其（56ウ）かはりには取違へたそつちの子供衆。兎《う》の毛《け》で突《つい》た程もけがさせず。虫腹一チ度《ど》痛《いたま》せず娘が乳《ちゝ》が沢山《たくさん》な故。喰《くい》物はあしらひ計リ乳一チ度あまさせず。ヲ、夫レよ風一チ度ひかさばこそ。親子が大事にかけたに付ても。

此方の息子めも嘸《さぞ》御役害《やつかい》御世話で有ふ。よふ連《つれ》てきて下さつた忝い〳〵。わるさよ我内を忘れたかなぜはいらぬ。いや門にではござんせぬ。ヱヽ連の衆が跡から連レてお出なさるゝか。嘸御やつかい忝い〳〵はて早ふ逢たいな。娘お礼を申しやいの。アヽとゝ様せはしない。此お礼がちやつきりちやつとつい云ッて済事かいな。申此槌松はなぜ遅《おそ》ひ。お連の衆が門ト違カへはなされぬか。此槌松はなぜ遅ひ。我子はいかに孫はいかにと立かはり入かはり。門を覗《のぞい》つ礼云ィつそゞろ(57オ)に悦ぶ親子のふぜい。おふでが胸にやき金さす今さら何と返答も。泣クも泣カれずさしうつむき。しはらく詞もなかりしが。

お願ヒ申さねばかなはぬ訳《わけ》有リて。恥を包面ン目を凌《しのい》で尋参りしが。そふお悦びなされては。気がおくれて物が申されぬ。まあ下に居て下さんせと。涙なからに押しづめ。改て申スもあぢきなき其夜の騒《さはぎ》。手ばしかふ逃隠《にげかく》れなされた。お前方は順礼の功徳《くどく》。此方は一ト人リは病人ンなり。男とては有リにかいなき年寄リ。逃るも隠れるも心に任《まか》せず。取違へた其お子は其夜にあへなく成給ふと。聞て恟《びつく》りとは何故にとはいかにと。余りの事に泣もせず仰天するこそ道理なれ。
人の　身の。仇《あた》なりと兼ては聞ど其夜の悲しさ。よふもけふ迄はながらへし。云ィ（57ウ）訳ながらの物語聞て恨《うらみ》を晴《はれ》てたべ。高ふはいはれぬ事ながら。連の女中と申スは私の御主人。騒《さはぎ》に取リ違へしとは思ひも寄《よら》ぬ。若君は猶大切ッと私がかき抱《いだ》き。御病人の女中は親が手をひき。一ト度ははたごやの憂目《うき》は遁《のが》れ出たれ共。追かくる武士の大勢気は樊噲《はんくはい》とふせいでも。何をいふも老人の云ィかいなく討死し。若君はばいとられ気も狂乱《きやうらん》のやうに成て。女中もほつたらかし。大事の若君取かへさんとかけ廻る。月なき夜半の葉隠れ尋廻る笹垣《さゝがき》のかげ。サア爰にこそ若君は有レと。取上て見たれば悲しやお首がもふなかつた。よく〳〵見れば若君でない。証拠《せうこ》は此笈摺《おひづる》。騒のまぎれに取違へしな。扨は若君のお命につゝがなかりけりと。一ト度はあんどせし（58オ）が。替りを戻さねば取かへされぬ若君。もと〳〵へ取戻す種《たね》になる。人の大事の子を殺し。何を替リに若君を取戻ふ。悲しひ事をしやつたと夫レを苦《く》にやみ。主君の女中も其座ではかなく成給ひ。悲しみやら苦《くる》しみやら。私一ト人リがせたらおふた身の因果《いんぐは》。此笈摺をしるべにて尋参りしは。お果なされたお子の事は明らめて。此方の若君を戻して下さるゝやうの御願ヒ。大事にかけて御せ話《は》なされたと物語聞クに付ケ。面ン目ないやら悲しいやらあぢきなき身の上を。思ひやつてたべ親子御様とかつはとふして泣ければ。

祖父は声こそ立ね共涙を老に噛《かみ》ませで。咽につまればむせ返り身もうくやうに泣ければ。娘は心も。乱るゝ計むなしき笈摺手に取て。やれ槌松よ（58ウ）嚊なるは夕べの夢にまざ〳〵と。前のとゝ様に抱《だか》れて天王寺参りしやると見たは。日こそ多けれ爺《てゝご》御の三年ンの証《しやう》月なり。命ィ日のけふの日に便リ聞クつげでこそ有リつらん。夫レとはしらぬ凡夫《ぼんぶ》の浅ましさ。けふは連レてくるかあすは戻《もど》りやるかと待てばつかりいた物を。大キな災難《さいなん》にあふて笈摺に書ィたせんもない。是が何の二世安楽《あんらく》順礼も当テにはならぬ。観音様もふがいない恨《うら》めしやなつかしや。あはれ此事が夢で有ッてくれかしと。顔に当テだきしめて。声をはかりにフシハル身もだへし前　ノル中後。ハルふかくに泣キゐたる。

詞娘ほへまい。泣ケば槌松が戻るか。よまい言《ごと》いや二タ度坊主めに逢《あは》れるか。地ウ兼てぐちなとぢいが呵《しか》るをどハルふ聞ィてと。ウいふ詞に色すがり付キ。詞夫レ々かふ申私も女子じやが。ぐちでは済《すま》ぬ祖父《ぢい》様のおつしや（59オ）る通り。いか程お嘆キなされたとて。槌松様の御帰りなされるといふではなし。ふたゝび逢《あは》るゝといふではなし。さつぱりと思し召明らめて。地ウ此方の若君を御戻しなさハルつて下さつたら。アヽウ有リがたい忝ないと悦ぶ私が心がどこへいかふ。ウ槌松様のみらいの為には仏千体《たい》寺千軒《げん》。ウ千部《ぶ》万部の経だらに。千僧万僧の供養《くやう》フシなされたより。

詞女子だまれ。何ンの頬《つら》の皮《かは》でがや〳〵頤《おとがい》たゝく。恥をしれやい我子を我カ育《そだて》るには。少々の怪我《けが》させても不調法《てうほう》が有ても。親だけで済メ共人の子にはな。ぎりも有リ情ケも有ル。主君の若君のとおいやるからは。夫レしらぬまんざらの賤《いやしい》人でもなさそふな。此おれは親代々楫《かぢ》づかを取て。其日暮シの身なれ共。お天道様が正直キ。大事にかけて置たそつちの子見しようか。いや見せまい。見やつたら（59ウ）目玉がでんぐりがへらふぞ。人の子をいたはるは。こつちの子をいたはつて貰《もら》ふかはり。大砥《てい》大事にかけたと思ふかい。コリヤそんなら又なぜ。尋てこぬとへらず口ぬかそふが。尋ていかふにも何もしるべの手がゝりはなし。地ウそつちウには笈摺に所書キが有。ハルけふは連てきて取かへるか。ウあすは連てきて下さるか。あふたら何ンと礼いはふと明てもウ暮レても色待ッてばつかり。詞コレ此襖《ふすま》を見をれ。かはいや槌松が下向にかへといふたを聞分ず。むりにかふて三井寺さんがい。持てあるいて嬉しかつた。鬼の念ン仏に餓鬼《がき》げほう殿のあたまへ。梯子《はしご》さいて月代《さかやき》そる大津絵《ゑ》。藤の花のお山も買《かい》おらず。げほう殿の絵をかふたは。あのやうに髭《ひげ》のしらがに成迄。長カ生キしをるずいさふ。鬼の様に達者《たつしや》でかね持て世界の人を。餓《が》（60オ）鬼《き》の様にはいかゞましおらふ吉左右じや。めでたい戻リおつて見おつたら。地ウ嘸《さぞ》悦ばふハルとはつて置て待たに。ウ思へは梯子《はしご》はげほう天窓《あたま》の下リ坂。鬼の傍《そば》にはいつくばふ。ウ餓鬼《がき》に成てお念仏でたすかる様に成おつたか。上ウ思へば思ひ廻す程身もよも有ラれぬ。能《よふ》大それためにあはせたなあ。夫レになんじや。思ひ明らめて若君を戻して下され。町人でこそ有レ孫が敵。首にして戻さふぞとつつ立あがる。

のふ悲しやと取つくお筆を押のけはねのけ。納戸《なんど》の障子《せうじ》さつと明ればこはいかに。松右衛門若君を小脇にかい込刀ぼつ込力士《りきし》立チ。おふで驚《おどろ》きヤアこな様は。あの樋口《ひぐち》のコリヤ〳〵女。ムウ聞へた。さい前ン帰りがけ下モの樋の口で。ちらと見た女中よな。若君は身が手に入て気遣イ（60ウ）なし。いふてよければ身がなのる。ノ合点か。必《かならずひ》樋の口を樋口など、麁《そ》相《さう》云ッまいぞと。めまぜでしらせば打うなづき。しづまる女聞ぬ祖父。松右衛門でかしたりな。さつきにからのもやくや寝られはせまい聞たで有ふ。そちが為にも子の敵。其小しびとづだ〳〵に切きざんで女子に渡せ。いやそふはいたすまい。なぜ致すまい。サア夫レは。サア夫レはとは。ヱ、みすくさい云《いは》いでもしれた。儕レが種《たね》を分ケぬ槌松が敵じやによつて致さぬな。其根性《こんじやう》では祖父《ちい》が儘《まゝ》にもさしやせまい。もふやぶれかぶれじや。おれがいふやうにせぬからは親でも子でもない。娘そこらかけ廻つて。若ィ者大勢《ぜい》呼でこいと気をせいたり。やれまて女房人をあつむる迄もなし。親父様どふ有ッ（61オ）ても。槌松が敵此子を存分《ぞんぶん》になさるゝか。くどい〳〵。ハアぜひもなし。此上は我名も語リ子細《さい》をあかして上の事と。若君をお筆にいだかせ上座に直《なを》し。権四郎頭が高い。天地に轟鳴雷《とゞろくなるいかづち》の如《ごと》く。御姿は見ず共定メて音トに聞つらん。是こそ朝日《あさひ》将軍《しやうぐん》。義仲公の御公達《きんだち》駒若君。かく申ス我は樋口の次郎兼光《かねみつ》よと。いふに親子はあら肝《きも》取ラれあきれ。果たる計なり。

樋口おふでに打むかひ。扨々女のかい〴〵敷。跡々迄御先途《せんど》を見とゞくる神妙《しんめう》さ。山吹御前も思ひ寄ラぬ御さいご。御身が父の隼人《はいと》もあへなく討死したりとな。力落《ちからおとし》思ひやる夫レに付ケてもかくて有ル。樋口が身の上嘸《さぞ》不審《しん》。若君の為には祖伯父《おゝおぢ》ながら。多田《たゞ》の蔵人《くらんど》行家といふ。無道人ンを誅罰《ちうばつ》せよ（61ウ）との御意《ゐ》を請。河内ノ国へ出ッ陣《ぢん》の跡。鎌倉勢を引受ケ粟津《あはづ》の一ッ戦《せん》。誤《あやまり》なき御身をやみ〳〵と御生害《しやうがい》とげ給ひし。

我君の御さいごのうつふんすぐにかけ入。一ト軍とは存せしかど。思へば重《おも》き主君の仇《あた》。術《てだて》を以ッて範頼《のりより》義経を討チ取。亡君《ぼうくん》に手向ケ奉らんと此家に入リ聟し。逆櫓を云立テ早梶原に近カ付キ。義経が乗船の船頭は松右衛門と事極《きはま》る。追ッ付ケ本ン意をとぐる様になるに付ケ。此若君の御在所は何国《いづく》。いかゞならせ給ふと心ぐるしき折も折。さい前よりの物語障子《しやうし》越《ごし》に聞クに付ケ。見れば見る程面《おも》やつれ給へ共。まかひもなき駒若君扨は思ひ儲《もうけ》ず願はずして。所こそ有レ日こそ有レ其夜一所に泊《とま》り合せ。取かへられて助り給ふ若君は御運つよく。殺されし槌松は（62オ）樋口が仮《かり》の子と呼れ。御身がはりに立たるは二心ンなき某が。忠臣の存ン念天の冥慮《めうりよ》に相叶ヒ。血を分ケぬ子が子となりて。忠義を立し其嬉しさ。何に類の有べきぞ。是もたがかけ親父様子ならぬ我を子となされ。親ならぬ我を親とする槌松。恩《おん》も有リぎりも有。余所外《よそ》カの子と取ちがへての敵ならば。そこに御堪忍《かんにん》なされふが女房がよしにと申ス共。其敵あんおんに置べきか。親父様の御嘆キ我も不便《びん》さは身にせまれ共。相人《あいて》に取れぬ主君の若君。弓矢取身の上には願ふてもなき御身かはり。祖父《ぢい》親の名を上た槌松。其名を上たもとはと問《とへ》は。私を子となされし親父様の御厚恩《かうおん》。千尋《ちひろ》の海蘇《そ》命《めい》路の山。夫レさへ御恩には中々くらべがたけ（62ウ）れど。まだ其上の大恩ン有ル主君の若君。孫の敵とて祖父《ぢい》様に切ラされうか。我手にかけて主殺《ころ》しの悪名が取れうか。花は三芳野《みよしの》人は武士。末世に残る名こそ恥かしけれ。

御立ッ腹の数々御嘆《なげき》の段々。申シ上ふ様はなけれ共。親と成子と成夫婦と成其縁に。つながるゝ定り事と思召シ明らめて。若君の御先途《せんど》を見届《とゞけ》まだ此上に私が。武士道を立させて下されは。生《しやう》々世々の御厚恩《かうおん》。聞分ケてたべ親父様と。身をへりくたり詞を崇《あがめ》忠義にこつたる樋口がふぜい。兼平巴が頭《かしら》をふまへ木曽に仕《つか》へし四天王。其随《ずい》一チの武士《もの丶ふ》と世に名を取リしも理《ことはり》なり。

権四郎はたと手を打ッて。そふじや。侍を子に持テばおれも侍。我子の主人はおれが為にも御主人。ハ、、、、サア〱聟殿（63オ）お手上られい。船玉冥《みやうり》利二タ度丸額《ひたい》に成ッて。炊《かし》食する報《ほう》も有レ。恨も残らぬ悔《くやみ》もせぬ泣もせぬ。娘精《せい》出して早ふ又槌松を産《うん》で見せおれ。扨は御得心《とくしん》まいりしか。ハア、忝なや嬉しやと互の心ほどけ合ィ。千里の灘《なた》の漂《うかれ》船湊《みなと》見付しごとくにて悦びあふこそ道理《だうり》なり。

おふで嬉しく若君を樋口の次郎に手渡しし。そこにかくておはすれは此お子に気遣ィなし。浮しつみは世のならひ。わたしが妹此津の国に勤《つとめ》奉公《ほうこう》すると聞。夫レか行衛も尋たし大津で討《うた》れし親の敵。討ッて亡者《もうしゃ》へ手向《たむけ》たし何やらかやら事しげき。私が身の上早御暇《いとま》と立あかれば。そふ聞てとむるも不調法《てうほう》。ヱ、残念《さんねん》ながら我らの身分ン。力にならふ共得申さぬ。御勝ッ手にお出なされ。（63ウ）聟殿はてもきどふな。せめて二三日足休め。夫レ々と、様のおつしやる通リかふ心かとけ合ば。初メ何のかのと申た程けつく名残有。ひらにと留《とめ》てもとまらぬ気。涙にくれ〳〵若君を頼まるるの頼ムのといふ中かいの。本ン意《ゐ》をとげて又御出さらば〳〵と門送《おく》り。見送る袂見かへる袖お筆は別れ出て行。

扨〳〵武家に育《そだつ》た女中は格別《かくべつ》。娘今からあれ見習《なら》へよ。こりや爰に七めんどうな笈摺《おひつる》が有。どこへ成ととつと、捨てしまへ。親父様夫レは余りな思召シ切リ。せめて仏前ンへ直《なを》し香花《かうはな》も取リ。さかさまな事ながら。御回向《ゑかう》なさつて取ラさつしやれましよ。侍の親に成て未練《みれん》なと人が笑ひはせまいか。何ンの誰が笑ひましよ。ハア、嬉しや〳〵。有やうはさつき（64オ）にからそふしたかつた。娘納戸《なんど》の持仏ッへ火をともせと。地ウ手に取上る箲摺の。千年もウ生《いか》さうとハル思ふたに。たつた中三つで南無阿弥陀〳〵。詞槌松聖霊頓証菩提《しやうれうとんせうほたい》。聟殿ござれ娘もこいと。地ウ見れば見かはす顔と顔。共に フシハル中涙に。暮《くれ》の鐘《かね》。ヲクリかう〳〵。とこそ聞へけれ

フシハル中早約束《やくそく》の。地ハルたそかれ時又六を先キに立て。中冨蔵ウ九郎作三人連レハル門ト口から色用捨《ようしや》なく。詞松右殿内にか。約束の通リ参つたと高呼《よば》はり。ヲ、地ウ待ッて罷リおりますとハル身軽《がる》に拵《こしら》へ色飛ンで出。詞御太義〳〵はいつてたばこでも参らぬか。いや〳〵大事の急キの御用。一ト精《せい》出して跡でのたばこ。しつほりと先ッやりませうそや。地ウヲ、ともかくもと皆川ハル岸《きし》におり立て。ウつなげる手船の渡海作《とうかいつく》りともヲクリ綱。ときフシ捨飛乗リ（64ウ）〳〵。

詞ナフ松右殿船で妻子《さいし》を養《やしない》ながら。恥かしいが終《つい》に逆櫓と云フ事は。ヲ、しらぬ筈〳〵。何事もおれ次第

教《おしへ》てやる。サア九郎作と又六は。おも楫《かぢ》とり楫の艫櫓《ともろ》を立テた。冨蔵是へお出なされ。おれがする様に櫓《ろ》を立た。是皆の衆。此様に艗《へさき》から艫へむけて櫓を立る。是を逆櫓といふはいのふ。惣して陸《くが》の戦《たゝか》ひは敵も味方も馬上の働《はたらき》。かけんと思へばかけひかんと思へば引ク事も。自由《じゆう》げに見ゆれ共船といふ物は又格別《かくべつ》。しつての通リ汐《しほ》に連《つれ》。風に誘《さそは》れ櫓拍《ろびやうし》子立テて押ス時は。行事も早けれど。乗戻《もど》さんと思ふ時は。おも楫とり楫の風波《は》を考《かんがへ》。取ル楫づかの手の内船をくるりと本トの如《ごと》く。押シ廻《まはし》て漕《こぎ》戻す。夫レさへさす汐引ク汐にもぢかふて。船に過《あやまち》有ル時は八（65オ）万ならくの憂目《うきめ》を見いとし可愛《かはい》。さいしにふたゝびあはれぬじやないか。いかにもそふじや。其うきめを見まい為の此逆櫓。サア其艫《とも》の櫓《ろ》を押シたく〱。おつと心へやつしつししゝやつしつし三段《だん》計リ漕《こぎ》出す。

サアかふ船をこぎ寄セて。追つまくつつ戦ふ時。謀《はかりこと》に乗《のせ》らるゝか敵に荒手が加《くはゝ》るか。すは負《まけ》軍と見る時は。船押シ廻す迄もなくコレ此逆櫓押シ立て。冨蔵合点か合点じやく〱やつしつし。しゝやつしつし元トの所へ漕戻す。

透《すき》を窺《うかゞ》ひ冨蔵九郎作械《かい》おつ取リ。松右衛門が諸膝《もろひざ》ないで。打たをさんと右左リよりはつしと打。心得たりと踊《おどり》こへ陸《くが》へひらりと飛上カれば。三人つゞいてかけ上り。ヤア比興《ひけう》なり松右衛門。儕レ木曽が郎等《らうどう》樋口の次郎兼光ッと云フ事。梶原殿能ク御存ジなされ。逆櫓の稽古《けいこ》に事（65ウ）寄セて。搦捕連《からめとりつれ》来れと我々に仰付ケられた。尋常《しんじやう》に腕《うで》廻すか打のめして縄かけうか。腕を廻せと訇《のゝしつ》たり。樋口から〳〵と打笑ひ。推量《すいりやう》に違《たがは》ぬ上は何をか包《つゝ》まん。朝日将軍義仲の御内《み》チに置《おい》て。四天王の随《ずい》一チと呼れたる樋口の次郎兼光。儕レらふぜいが搦《からめ》とらんとは。真《ま》物付ケたる一チ番碇蟻《いかりあり》の引クにことならず。ならば手柄《てがら》に搦てみよ。ヤアしやらくさい広言《くはうげん》跡でいへと械《かい》ふり上。なぐり立るを事共せずかいくゞつて引ッたくり。先キにすゝみし冨蔵が頭《かうべ》みぢんに打砕《くだ》けば。一人リではかなはぬぞ二人かゝつて手に余《あま》らば。打殺せと立別れはつしと打。さしつたりとひらく身に械《かい》と械とは相打チに。互の眉間《みけん》あいたしこためらふ隙につゝと入。械引ッたくつて捨たりける。組ンでとらんとむりむさん取リ付ク二人を引寄セ〳〵。(66オ)力に任せゑいうんと踏《ふみ》くだく天窓《あたま》のさら。微塵《みぢん》に砕《くだけ》死てけり。

さあ安からぬ若君の一チ大事何とせん。我身をいかにとためらふ胸にひつしとひゞく鐘太鼓《かねたいこ》。数百人のおめく声。こはいかに〳〵と驚《おどろく》。中チに心付。くつきやうの物見櫓《やぐら》ごさんなれとかけ上る門の松。顔にへつたり蜘蛛《くも》の巣《す》や松葉の針《はり》であいたしこ。目さす計リはくらからぬしげる梢《こずへ》のおぼろ月。四方をきつと見渡せば。北は海老《ゑび》江長柄《ながら》の地東は川崎天満村。南は津村三つの浜西は源氏の陣《ぢん》所〳〵。人ならぬ所もなく天のこがせる篝《かゞり》の光リ。扨は樋口を洩《もら》すまじ取リ逃カさしとの手くばりよな。さも有レいかにと飛ンでおり。

女房共親父様〳〵と呼立る。イヱとゝ様は納戸《なんど》のかべをこぼつて。どつちへやらいかしやんした。ヤアかべこ(66ウ)ぼつてうせたとは。ムウよめた訴人《そにん》にうせたな。財宝《さいほう》をむさぼつて訴人する。兼ての気質《きしつ》ではなけれ共。槌松が仇《あた》を忘れ兼夫レでうせたか。ハア樋口程の武士が。船玉の誓言《せいごん》に気をうばはれ心を赦《ゆる》し。飼犬《かいいぬ》に手をくはれたヱへ口惜《おし》や無念やと。こぶしをにぎり歯《は》をならししほれぬ眼に泣ク涙。みがき立テたる鏡《かゞみ》の面テ。水をそゝぐがごとくなり。

お腹立は理ながら。とゝ様に限《かぎ》つてよもやそふでは有ルまいと。云なだむる折こそ有。組の捕手《とりて》の腰《こし》明り武威《ぶゐ》かゝやかす高挑燈《でうちん》。畠《はたけ》山の庄司《せうじ》重忠《しげたゞ》。権四郎に案内させて見へければ。娘は夫レと見コレとゝ様恨《うら》めしいといはせもあへず。訴人の恨かいふなく〱。おれが訴人せいでも。松右衛門を樋口の次郎とは。梶原殿が能ク御存知《ぞんぢ》なされて。冨蔵（67オ）や九郎作に。搦《からめ》とらそふとなされたじやないか。夫レ計リじやない。四方八方取かこんで樋口が命は籠《かご》の鳥。何ンぼ助《たす》けうと思ふても助からぬ。おれが秩父《ちゝぶ》様へ訴人したは槌松めが事で。サア其槌松の事をいふて松右衛門殿が腹立て。何ンの腹立る事が有。親子といふ名につながれて。孫めが親と一所に。あつち者に成おろふかと悲しさに。あれは樋口が子ではござりませぬ。死ンだ前の入聟の。ナ松右衛門が子てナ合点《がてん》がいたか。ほんの親子でござらぬからは。訴人致《いた》したかはり孫めが命。御助なされ下されと願《ねが》ふたれば。段々聞し召シ分られ。天下晴《はれ》て孫めが命はヲ、慮外《りよぐはい》ながら。此祖父《ぢい》が助けた。夫レに何ンじや樋口が腹立た。ヤイ儕レが子でもない主君でもない。若君でも（67ウ）ない大事の〳〵。おれが孫を一所に殺して侍が立ッか。若ィ其大きな眼《まなこ》にも。祖父《ぢい》がくだく心の数々は見へまいぞ。恨《うら》めしいとぬかすおのれらが。けつく祖父は恨めしいと気をせき上てくもり声。よふ訴人《そにん》なされた有リ難《がた》し共過分ッ共。云ぬ詞はいふ百倍《ばい》嬉し涙にくれけるが。

ずつと立て重忠の傍《そば》近く。天晴《あつはれ》御辺《へん》が梶原ならば太刀の目釘のつゞかん程。切リ死に死《しな》んずれ共。粟津《あはづ》の軍妹巴が身のうへ迄。心さし有しと聞ク重忠殿。情に刃《は》向ふやいばはなし。腹十文字にかき切て首を御辺ンに参らすと。いはせも果ずヤア樋口。死首を取て手柄にする重忠ならず。迚《とて》も叶はぬと覚悟《かくご》あらば。尋《じん》常《じやう》に縄かゝられよ。いや〳〵運つきて腹切ルは勇士《ゆうし》の習《なら》ひ。縄かゝれとは此樋（68オ）口に。生キ恥かゝせん結構《けつかう》な。仁ン義有ル重忠の詞共覚へず。いや是樋口。木曽殿の御内に四天王の随《ずい》一チと呼れ。亡君《ほうくん》の仇《あた》を報《むくは》ん為。地ウ権四郎が聟となつてウ弓矢に勝《まさ》るハル櫓械《ろかい》を取て。ウ大将の船をくつがへし皆殺《みなごろ》しにせんず謀《はかりこと》。ウ恐ろしし色頼もしし。詞晋《しん》の予譲《よじやう》は主の智伯《ちはく》が仇《あた》を報《ほう》ぜんと。御辺ンがごとく姿をやつし。敵襄子《じやうし》をねらふ其心ざしをふかく感《かん》し。着《き》たる所の衣服《ゐふく》をぬいで予譲《よじやう》にあたへ。其衣《きぬ》を切ラせて彼レが忠義を立テさせしは。地ウ敵ながらも襄子が情。ハル木曽殿叛逆《ほんぎやく》ならざる事は。ウ書キ置キに顕はれ御さいご今さらウ悔《くやむ》に色かいなし。詞主人に科《とが》なき樋口の次郎。全《まつたく》恥をあたふるにあらず。忠臣武勇《ぶゆう》を惜《おしみ》給ふ。大将義経の心をさつし。地ウ重忠が縄かく（68ウ）るハルとつつと寄ッて。ウ樋口が肘《かいなねぢ》捻わぐ色ればにつこと笑ひ。詞関ン八州に隠《かくれ》なき勇力《ゆうりき》の重忠殿。力づくにはおとらぬ樋口。とられし此腕《うで》もぎ離《はなす》は安けれど。智《ち》仁兼備《じんけんび》の力ラには及びもない事相手にならず。地ハルともかくもはからはれよと弓手の腕を色押シ廻せば。詞ヤア愚《おろか》々。忠義あつき樋口殿の力に重忠が及んや。大手の大将範頼《のりより》公搦《からめて》手の大将義経公。両大将の御仁政《じんせい》。文武二つの力を以ッて警《いましむ》ル此縄ぞと。地ウかくるもか丶るもウ勇者《ゆうしや》と勇者。ハル仁義にからむ高手小手縄付キを色引立させ。詞コリヤ女。樋口殿の血こそ分ケね。槌松とやらんは大切ッな子でないか。暇乞《いとまごい》をと有リければ。およしは泣々納戸《なんど》に臥《ふし》たる子を抱上《だきあげ》ヶ。コレのふしばし仮初《かりそめ》も親子と云し此世の別れ。コレ顔見せてと指寄スれば。ハツア（69オ）槌松に暇乞とは。四相《さう》を悟《さとる》重忠の御情。ぢいの願ヒを聞分ヶ給ひ助ヶおかるゝ忝さ。誰レ彼レの情も忘れぬ。コレ槌松。とゝと云ずに暇乞。樋口〳〵樋口さらばと稚子《おさなご》の。誰カ教《おしへ》ねど呼子鳥我は名残もおし鳥の。つがひ離《はな》るゝうき思ひやらん〳〵とすがり付ク。

娘よ吼《ほへ》な。何ンぼやらん〳〵と商売の船歌で。留《とめ》ても留らぬア、悲しや。たとへ死ンでも地獄《ぢごく》へやらん。極《ごく》楽《らく》へやるぐぜいの船歌。思ひ切てやつてのけう。

汐《しほ》の満干《みちひ》に此子ができたとな。孫が身の上あんじるなぢいが。預リのんゑいゝ〳〵われが。かはりに大事に育《そだて》てゑいよほん。ほゝんほほんに

何ンたる因果《いんぐは》ぞと正体《しやうたい》。もなくどうどふし。

涙にむせぶ腰折《こしおれ》松余所《よそ》の千年《ちとせ》はしらね共。我身につらき有為無常《うゐむじやう》。老はとゞまり若木は行ク。世はさかさ

まの逆櫓の松とキン朽《くち》ぬ。ウ其名を福島に枝葉を。今に残しける。（69ウ）

第四

地色ハル山遠《とをふ》して雲旅人《りよじん》の跡を埋《うづむ》。ウ爰も名におふ香島《かじま》の里西国の往還《わうくはん》とて。フシ賤《しづ》が家居も賑《にぎは》へり。

詞今日は天道大日如来。未申《ひつじさる》の年は御一代の守ﾘ本ﾝ尊と。地色ウ錫杖《しやくぢやう》ふり立家々に立ｯ色辻法印《つじほうゐん》。祓詞きんじやうさんぐさいはいさいへいと敬白《うやまつてもふす》伊勢に神ﾝ明天照皇《せうくはう》太神宮と申奉るは。御本ﾝ地は大日如来御真言《しんごん》にはおんあびりた。ていぜいからかくのごとく唱《とな》へ奉れば。ナヲス詞ヲ、手の隙がないとをらしやれ。山伏の内へ斎《とき》料乞《れうこふ》は。山伏の友喰《ともぐい》と地色ウ云々《いゝ》色女房表に出。詞是嗜《たしなま》しやれこちの人。是は扨うか〳〵きたれば終内《つい》じや。地色ウぎゐん直しに錫杖を振《ふり》立ﾃ〳〵。色祓詞今日の天道大日様も聞へませぬ。あんまりけふはもふけがなさにおと（70オ）

がいは未申の年。一代守ルは大きなうそ。分限菩薩《ぶんげんぼさつ》とくだい勢至《せいし》の金持チ計リを守つて。我等が内には不動《どう》様の火焔《くはゑん》の様な火がふり。福一チまんとは名計リ。下用櫃《げようびつ》にはこくぞう菩薩《ぼさつ》。米がないとせがまれ。天窓《あたま》の皿《さら》は八まんほうぞう。われ鍋にとぢ蓋《ぶた》の女夫が口を過キ兼。何と千手観世音《くはんぜおん》。文殊菩薩《もんじゆぼさつ》のちゑかつてちつと小銭《ぜに》をもふけねば。中々身体《しんだい》たゝりんく〵。たゞいをなすなよこちのかゝ敬白としやフシべりける。詞是法印殿。けふはもふけがあつたやらあだ口をきかしやるの。草臥《くたびれ》休めに出ばななとおまそふと。茶釜《ちやがま》の下へさしくべる。地色ウ其日の煙《けふり》もフシかつ〵〵の。暮シを祈《いの》る術《じゆつ》もなし。ハルフシ世に憂事《うき》の。多き中。中おふでは若君ウ駒若殿をハル樋口の次郎が中手に渡し。ウ妹千鳥に廻リ逢《あい》親のハル敵をねらわんと。ウ上福島よりあなたこ中フシなたと尋侘。香島《かじま》ハルの里に着にける。(70ウ)

地色ウ妹が身の上聞為には幸《さいはい》のハル山伏殿。ウちと御めんなりませと内に色入。詞私は旅の者筮《うらない》がお頼申シたい。ヲ、よふこそと地色ウ女房仕事押シやり。ウ薄《うす》くと一ッ服《ふく》こしめせと。フシ詞の塩《しほ》に指出《さし》せば。地色ウしかつべらしく色法印。詞愚僧《ぐそう》が筮《うらない》は秘伝《ひでん》の投算《なげざん》。あるひは失《うせ》物走《はしり》人。夢合せ夢判じ相場《さうば》の高下。相生《あいしやう》墨色《すみいろ》薪《たきゞ》の雑書《ざつしよ》釜の鳴リ。犬の長鳴キ鶏《にはとり》の宵鳴烏《からす》の行水。親父の夜あるき。息子の看経《かんきん》する迄も。奇妙《きめう》な見通し。銭次第とぞすゝめける。フシ

地色ウ アイ私はたつたひとりの兄弟を尋る者。終《つい》廻り逢フ手がゝりを ハル 筮て 色 下さりませ。詞 フウ夫レはよつ程むつかしいが。地色ウ たんてきに筮ませうと ハル 風呂敷よりさん木 色 取出し。詞 是信《しん》を取リませうぞ。終《つい》びりがけする様に投《なげ》た分ンではいかぬぞや。地色ウ 成程〳〵おまへの様な見（71オ）通しに。ウ おめにかゝるは仕合と算木《さんぎ》投《なぐ》れば。詞 ヲ、よし〳〵何年シはいくつじや。アイ十七八でもござりませうか。成程十七八と見へる。こなたの弟御じやの。いゑ〳〵妹。ム、成ル程算木の表に女子と見へる。何ン年程あはしやれぬ。五六年も逢《あい》ませぬ。成ル程五六年も逢ぬと見へる。こなたの尋る心当《あて》はどこじや。アイ人の噂《うはさ》には神ン崎に勤《つとめ》奉公。ヲ、勤共〳〵是見やしやれ。占《うら》の表には籠《かご》の中チの鳥のごとしとあれば。郭《くるは》の外トへ 地色ウ 一ト足にても踏《ふみ》もならはぬ。詞 と古イ書物《しよもつ》にしるした上は。勤の身は籠の中チの鳥。妹御は神ざきに傾城《けいせい》奉公に疑《うたが》ひない。何ときつい見通しか。イ

ヱ〱そりや私が口うつしをおつしやる計。郭《くるは》の中《チ》でもどこらに居よふと。方角《ほうがく》さして下さりませ。はてめつそうな。夫《レ》が見へる程ならば山伏はしませぬ。(71ウ) 相場事にかゝるはいの。ナア嗅そふじやないか。此在《ざい》はづれをまつすぐに行ば神《ン》崎。逗留《とうりう》して尋さつしやれ。地色ウハア夫《レ》ウなればぜひもハル内義にウ包銭。たとへのふしに陰陽師《おんやうじ》と。ウ辻風ふせぐ笠かたむけ。フシおふではかしこへ急ぎ行。

詞ヤ女房共此お客はどこへじや。いやどつちへとの先《キ》もいはずけさからおるす。コリヤ悪《わる》い病《ィ》か付《ィ》たはい。銭なしの手てんごじやの。ハテ麁相《そさう》いはしやんな。神崎のお傾城《けいせい》梅が枝様は得意《とくゐ》旦那《だんな》。其よしみで誰《レ》あらふ。地色ウ梶原様の御惣領《そうれう》源太様をハル預り。ウ米薪《たきゞ》みそ塩迄梅が枝様から仕送《しおく》り。ウお暦《れき》々のあなたがそんな色事何のいの。詞いやそふでない。ぜいは仕たしちやんはなし。悪《ル》気の付《ク》まい物でもないとハルフシ噂《うはさ》半《なかば》へ。立《チ》帰《ル》。

地色ウ梶原源太景季ハル勘当《かんどう》の身のよせ所。ウ辻法印にかくまはれ見るかげもなき素紙子《すがみこ》一《ッ》点《てん》。ウ門《ト》口から(72オ)笠取てやれ〳〵方々かけあるき。ウ存の外カ草臥《くたびれ》た法印嘸《さぞ》待ッたで有ふ。色詞何の待ましよ。急《きう》な事で金がいる才覚《さいかく》頼ムと。人に許リせはやかせどこにはいつてござました。されば〳〵其さいかくに身もあるいた。急な用ができてきて梅が枝に逢《あは》ねばならぬ。といふてから紙子の風体《ふうてい》。此形《なり》ではどふも行れぬ。あの此比迄召シましたお小袖や羽織《はおり》はへ。女房いふな夫レは此法印が頼れて。七難即滅《なんそくめつ》とまげて仕廻《しまふ》た。おろせやりてに紙花の借銭《しやくせん》なしなされたはい。おまへもいはれぬぜいはらずと傾城買《かい》には紙子がじやうせき。いやそふでない今迄太夫が情にて。地色ウ見苦《ぐる》しい尾も見せず此形てはいかれぬ。あすへ共延《のば》されぬ其訳を聞てたも。色詞義経公には一チの谷の平家を責《せめ》んと。明日未明《みめい》に御陣《ぢん》立源太も（72ウ）此度高名せでは。父に二タ度対面《たいめん》ならず発足《ほつそく》と定めしが。彼産衣《かのうぶぎぬ》の鎧甲《よろひかぶと》。梅が枝に預ケ置キ夫レがほしさに右の訳。したが思案《しあん》も有ば有物。けさより尼か崎大物ッの浦をかけ廻り。大将義経公一の谷へ御出陣。京都よりくる兵糧《らう》米。馬の飼料《かいれう》遅《おそ》なはれば。米麦大豆の差別《しやべつ》なく今ン日中に香島の里。辻《つじ》法印が方タへ持参せよ。則《すなはち》武蔵坊弁慶殿御判居《すは》りし証文と引

替《ル》。軍終《おは》らば一倍《ばい》増で御返済《へんさい》と百性共をたらせしが。弁慶様のお目にかゝり其上で御用に立と。追《ッ》付爰
へ皆きをる。爰が気の毒《どく》。何とぞ急に弁慶を拵へずば成まい。指詰頼《ム》は天窓《あたま》役法印弁慶に成てたも。ハ
レやくたいもない。弁慶は兵《つはもの》愚《ぐ》僧はよは者。七尺ゆたかの大の法師と。五尺にたらぬちつくり法印。似
ても似付（73オ）ぬお赦しなされ。いや是足をつま立れば。四寸や五寸はくろめらるゝ。其上をまだつぎ
足して高あしだで背《せ》はくろめる。弁慶が身の所作は仁王の形《かた》でしていりや能《ィ》。地色ウ あれ〳〵向ふへ百性共隙
取てはきのとくと。ハル いやがる法印むりやりに連て フシ 一《ト》間へ入にける。
地色ウ 百性共はどや〳〵とかます藁《わら》 色 ふご引かたげ。詞 何と太郎兵。彼《かの》お山ぶは是かいの。地色ウ ヲ、聞及ぶ辻法印爰じ
色 やく〳〵と内に入。詞 おかた様是の内に弁慶様がござるげな。大物の百性共お馬の飼料《かいれう》持てきたと。御家来衆
にいふて下され。地色ウ 成程〳〵弁慶様もお待《チ》兼。ウ どりや其通《リ》 フシ 申上んと立て行。
地色ウ 景季は法印を弁慶に ハル 拵《こしらへ》 ウ 立。一《ト》間を立出ヤア 中 百性共。ウ 約束《やくそく》ちがへず大義〳〵。色 先《キ》程も 詞 云《ィ》聞す通り。源

氏の大将判官殿の。御用に立ッは汝等が身の大慶《けい》。軍終《おは》らば一チ倍増《ばいまし》（73ウ）にて返さるゝ。御判頂戴《はんちやうだい》するは有リがたいか。ハア、有がたふはござれ共。只証文《しやうもん》より手形より。弁慶様におめ見へ致し。お直キの詞下さるゝが御判よりも慥《たしか》な。そりや百性らが願ヒに任せ。地色ウ只今是へと反古張《ほうぐばり》のハルあかり障子《しやうじ》。ウさつとひら中き立色出る辻法印。江戸中キン往生《わうじやう》ずくめのハル弁慶出立テ。中肩《かた》からウ裾迄《すそ》たばねのしのハル色一チ枚形。中キン白あげウに紺染《こんぞめ》色の大夜着《よぎ》。

詞女房がいつちよら帯。引しごいてとんほう結《むす》び。地色ウ疲《やせ》たる頬《つら》に鍋墨ぬり。所まだらのフシ武蔵坊《むさしばう》。地中キン長刀替リのハル金《こん》色剛《がう》ウ杖。竹ずのこを踏《ふみ》とゞろかす中木履《ぼくり》の継《つぎ》足。ハルすさまじうウ見られんとふんばたかつたる色其有リ様。さらに強《つよふ》フシは見へざりける。

地ハル源太は態《わざと》色両手をつき。詞大物の百性共おめ見へと披露《ひろう》して。こりや〱汝等。只今下におすはりなさる。そこらあたりへ地ひゞ（74オ）きせう心得て驚くな。ハア〱はつと恐れ敬《うやま》ひためつすがめつ。地色ウ見られてじゆつなき辻法印。フシ見せものに出た心地《こゝち》なり。

詞 百性共口《チ》々に。何《ン》と聞及ふだより手先《キ》なども青《あを》じらけ。ひがいすな生《レ》付《キ》おせはきよいと高けれど。からだに似合ぬおつむりがちいさい。ふり売の飯蛸《いゝだこ》で天窓《あたま》にみのない弁慶様。地色ウ あれでも兵《つはもの》様かいのと。ウ 目引《キ》袖引《キ》つぶやけば。フシ 詞 扨は旦那のお顔のやつれで。誠の弁慶様でないと思ふか。都から段々打つゞく戦《せん》場《ぢやう》のおつかれ。殊に此間はお風をめしておしつらひ。気むつかしさにわざと物もおつしやれぬ。ア、御病気でなくば旦那の力が見せたいな。あれ見よあの右の肘《かいな》に百人力。左《リ》の肘に百人力。夫《レ》程力持《ッ》者が弁慶様で有《ル》まいか。あはれやれ米一《チ》粒借《かす》まいといふ（74ウ）て見よ。お腹が立《ッ》と惣身の力がふつふつと涌《わき》出。千人でも万人でも。風に木の葉《は》鬼に煎餅《せんべい》。めり〳〵ぴしやりこなみぢんと。地ハル 強《つよい》ぞろへを云《イ》立《ッ》れば山伏も図《づ》に乗《ッ》て。ウ 強《フ》見せんと拳《こぶし》をにぎりひぢを張《はり》。中 りきめば額《ひたい》に黒汗《くろあせ》流《シ》。ウ ハル ウ わんぱくな手習《ならひ》子が昼《ひる》上り フシ 見るごとくなり。

地色ウ 百性共は頭《かうべ》をさげ。色 詞 其様にお強《イ》事を聞《ク》上はのふ皆の衆。何と思はしやる。ハテ弁慶様に極つた。迚の事の念ン晴《はら》しに今のをとふてみさつしやれ。ヲ、夫レ々。私共が在所の物知リの咄シに。弁慶様は書写にござつて。御紋はりんぼうと聞ましたが。見れば御紋はたばね熨斗《のし》。どふした事と問《とい》かけられ。源太もほうど行つまり。いや何物じやはい。わづかな兵糧米をそち達に無心ンおつしやる風体《てい》。世に連レてりんぼう（75オ）の御紋も。びんぼうにかはつたと真顔《まがほ》になつて取かくれば。ア、お笑止《せうし》や何ンぼ力がつよふても。銭金にはたてづかれぬ。内証《ないしやう》聞ィておいとしいとわらふごかます米俵。めん〳〵に持ッて出おらは白米一斗五升。大豆八升麦ひゑ小豆。濡手《ぬれ》で粟《あは》のつかみ取。源太は硯《すゞり》引キ寄手取早く証文したゝめ。書キ判ンしつかと末の代にいたりても。大物の浦にとゞまりし武蔵坊弁慶が。借《しやく》証文とは是とかや。

源太は名当テに引合せ一札渡せば受取ッて。ひつきやう是には及はね共めん〳〵の念の為。軍終《おは》らば一チ倍増をお忘れなされて下さるな。お暇《いとま》申と打連立チ。川中ではがれた尼が崎大物さして立帰る。

女房は走《はしり》出扨もひあいなだまし様。中程からほぐれがきてわしやあぶ〳〵思ふてゐた。一ッ向《かう》に此法印は始終夢《しじうむ》（75ウ）中でやつ付たと。夜着《よぎ》をぬぎ捨あせ押拭《のご》ひ。ア、しおふせたと思ふたればどつかりと気草臥《くたぶれ》。ヲ、道理〳〵。首尾《しゆび》能《フ》いたもそちがかげ。源太は此ざこく物金のかはりに向ふへつかね。身の廻りを請《ケ》戻し片時《へんし》もくるはへ急ぎたし。げに御尤去《リ》ながら持《チ》もならはぬ肩《かた》仕事。凡《およそ》是でも一《チ》石《こく》余りお一人《リ》ではいかぬ〳〵。時の用には法印も片《かた》はなを仕らん。若《シ》も是にて不足ならば弁慶がぬけがらの。

夜着もついでにまげませふと。わらふごかます指荷《にな》ひ。一《ト》足往《い》ては肩を替《エ》二足いては息《キ》をつき。香島の里に馬はあれど。君を思へばかちはだし。人は恋共しらげのよねに浮身を。やつすぞ〵世なりけり。

爰も名高き。難波津に。恋の船着《つき》数々の多かる中に取分《ケ》て酒汲《くみ》。かはす神崎の里の色宿千年《セ》やは。（76オ）客《きやく》にたへ間もなかりける。

殊に今宵は晴《はれ》の御客と書院《しよゐん》座敷の掃《はき》そうぢ。亭主《ていしゆ》が袴《はかま》中居が揃《そろ》への紅《くれない》も。園《そのを》に植《うへ》て隠《レ》なき大名客御入と。表の方賑はしく人目を忍ぶ旅乗《リ》物。お供廻りもかる〴〵と地に鼻付て主《ジ》か答拝《たつぱい》。お出を待やこがれしとついしやう軽薄《けいはく》切リ声の。切戸口より直クに昇込《かきこむ》奥座敷。梅か枝様へ人走《はし》らせ夫レお菓子たばこ盆《ぼん》。釜を泧《たきら》す音ト羽山馳走《ちそう》ぶりとぞ見へにける。

雪や霙《みぞれ》や。花ちる嵐。かはひ男に。偽《いつはり》なくば。本の心で。淡路《あはぢ》島千鳥も今は此里へ。身をば売れてやり梅の。名も梅か枝の突キ出しには名ィ木ならぶ方もなく。千とせが。もとに入来り。

亭主　立出。エ、遅《おそ》い〳〵梅か枝様。けふのお客は東国の去ルお大名。初対《しよたい》（76ウ）面《めん》から身請の相談《さうだん》。箱入の駿河《するが》小判ずつしりとしたおさばき。サア〳〵奥へと云ければ。東国とおしやんす其客の年ばい。廿《はたち》計リででつくりと。色の黒ィ髭《ひげ》男かへ。けもない事〳〵。夫レで心が落付《おち》ィた。わたしも爰に待合せ逢《あは》ねばならぬ人が有。おつと合点《がつてん》そこは我等が請込。禿《かぶろ》衆で座敷をくろめん。おまへの御用は彼《かの》ふかまの。源太様にあいの襖《ふすま》を引立てこそ入にける。

此姉様ッはなせ遅ィ。杉を迎ィにやつたるに早ふ来《き》はなされいで。心せかれやア、しんきと待ッに程なく。姉おふで千鳥にあふが嬉しさに。足もいそ〳〵やりてが案内。梅か枝見るよりのふ待チ兼《かね》た姉様ン。さつきに道であひし時。云たい事の数々も人目を遠慮《ゑんりよ》。ヲ、そりや姉も同し事。何から角《か》からいはふやら能フまめ（77オ）で居てたもつた。おまへも御無事で嬉しい。久々便リも聞ませぬが爺様《とゝ》ンもおまめにあろ。やつぱり桂《かつら》の里におすみなされてござるかへ。御持病《ぢびやう》はおこらぬかと。問《とい》かけられておふでは涙。まだとゝ様の事しらずか。しらぬかとは気遣ィどうぞいな。アノとゝ様はお果なされたはいのふ。ヱ、はつと許リに梅が枝はしばし。涙にくれけるが。

ア、思へばわしは不孝《かう》者。爺様ンは息才《そくさい》なまめてこさると思ふから。我身の恋に跡先キ忘れ末々めんどう見とゞけうと。約束せしお人が不慮《ふりよ》に勘当《かんだう》受ヶ給ふ。男の為に此勤《つとめ》。身の徒《いたづら》に親の事思はなんだ罰《ばち》が当ッて。命ィ日忌《き》日がいつじややらしらずにくらした不孝の罪《つみ》。姉様こらえへて。とゝ様の御位牌《ゐはい》へ。侘言《わびこと》をして下さんせとわつとさけべばヲ、悔《くやみ》は道理。其上にまた悲しきは。（77ウ）お煩《わづらい》でも有ル事か刃《やいば》にかゝり果給ふ。其様子は自《みづから》が木曽殿に官《みやづかへ》。仮初《かりそめ》ならぬ御主人のみだい若君諸共父の方にかくまひしが。桂《かつら》の里にも居ル事叶はず。都を出て大津の泊リ。追手の者が寝込《ねごみ》へ切込くらがり紛《まぎれ》。うろたへて相ィ宿《やど》の。順礼の子と若君を取リ違へた其麁相《そさう》が御運のつよさ。先キの子は殺され。若君は恙《つゝが》なく慥《たしか》な人に渡せしが。悲しいは母御様其場でお果。隼人様もあへなき最期《さいご》。親の敵が討チたさにそなたの行衛。しるべの人に聞て尋し此神崎。地中廻り逢《あふ》たは兄弟のウ縁のふかさ。ハル女子でこそ有ふず共。兄弟が心を合セ本ン望《もう》とげう。ウ姉が力に成ッてたも。頼ムはウ妹計リぞと中フシ語ルも聞も涙なる。

詞のふ姉様。悲しい中にも敵を討ッが梅か枝がと丶様への云訳《いゝわけ》。其まあ敵は誰レで（78オ）ござんすへ。ア、声が高いかべに耳《みゝ》。諸万人の入込ム色里敵に洩《もれ》ては一大事と。地ウ咄シの半《なかば》へハル亭色主かけ出。サア梅か枝様早ふ〱。おまへの背《せ》だけ金積《つん》で身請の相談。座敷は金でまばゆひ。地ウそこを不勤《つとめ》になさるゝハルはどふした心底《しんてい》フシぜひにお供と手を取レは。地色中ア、もふそウこへ行といふにハル聞訳ケない。是姉様ウ今は何も咄されぬ。ウ後に必《かならず》来て

下さんせ。成程〳〵今咄シた事是非《ぜひ》に今宵は延《のば》されず。其用意《ようゐ》して待ていや。後に〳〵と約束《やくそく》かためおふ
では旅宿《りよしゆく》へ立帰る。サア太夫様のお出の様子。お座敷へ注進《ちうしん》ときをひかゝつて走《はしり》行。
しやほんに何ンじやの。此梅が枝が心もしらず。身請〳〵と取リ持チ顔。いやらしい。夫レはそふと源太様暮
方から御越《こし》なされと。香島迄文《ふみ》やつたになぜ遅イ事じや迄。早ふあい（78ウ）たや顔見たやあはゞどふし
てかふしてとたばこ引キ寄セくゆらする胸の。思ひは日に千度《ちたび》。
夜ごと〳〵に通イくる梶原源太景季。心をつくせし身の廻り大尽《じん》小袖長カ羽織《ばをり》。ほうろく頭巾《つきん》紫《むらさき》の色に。
ひかるゝ揚ケや町。千年セが奥を窺《うかゞ》へは。おれを待ッのか畳《たゝみ》算《ざん》丁と能イ首尾《しゆび》幸イと。ずつと通れは梅か枝は。
火燵《こたつ》にとんと身をそむけ。煙《けふり》くらべん。あさま山と　そらさぬ顔でふくきせる。
是歌所じやない来たはいの。何が機嫌《きげん》にいらぬやらめつきりともたせぶり。大名客の襟《ゑり》に付御勿体《もつたい》てゐす
か。我等が様な浪人の黴《かび》た襟にはつかれまいと。ずんど立をまたしやんせ。座敷計リを勤《つとめ》る筈で。けふ爰

へ曬《もら》はれたは文でしらせて合点じゃないかへ。色も恋も打こして心底《しんてい》づくのふたりが中。(79オ)口舌《くぜつ》所じやござんすまい。おまへと一たいかふなつたはなみ大ていのことかいな。わしも云事たんと有と。袖から袖へ手を入しつと引キ寄引しめて。遅《おそ》ふきながら其いぶり。にくい男と目にもろき。涙ぞ恋のならはしなり。

もふよいなきやんな疑ひ晴《はれ》た。扨そなたに云事有。今ン夜七つの出汐《でしほ》に父を初メ。弟の平次景高一の谷へ出ッ陣《ぢん》。某も能キ時節《せつ》。軍勢にまぎれ下タるに付ケ。そなたに預ケた産衣《うぶきぬ》の鎧。請取にきたはいのと。聞にはつと当惑《とうわく》の。色目見て取ル景季。いや〳〵気遣イしやるな長カふ別る事でもなし。ぜひ今度は行ねばならず。おことも兼てしる通リ。もと某は頼朝卿のゐぼし子。夫レをかうに勘ン当の侘《わび》せぬかと。父の思はく世の人口。此度平家と戦はゞ。分捕《ぶんどり》高名誉《ほまれ》を(79ウ)顕し。今の難ン義を昔シ語リ悦ンでたも梅か枝と。何心なく語るにぞ。思ひもふけし事ながら俄《にはか》につと胸いたみ。其鎧の事聞と心の苦しみ。して其鎧が何とした。わたしが方にはとふからない。ヤア〳〵と地ハル源太も聞より狂気のごとく身をもみ色あせり。詞様子が有ふ子細を語れと気をいらてば。夫レ其様に浮世の事にうといのが大名の懐《ふところ》子。浪人の中チ苦労《くらう》させまいと此神崎へ身を売。突キ出しの其日よりおまへを客の名当《あて》にして。みんなわたしが身揚《あがり》地中ウ仮《たとへ》世に有人でもハル里の金にはつまるもならひ。まして勤の身なれば金のなる木は有中まいし。はへるウフシ土は持まいし。地色中お主の勘当ゆりる迄ウといつもの、ハル揚屋に呑込せ。積《つも》り〳〵し揚代ウ三百両（80オ）の金のかはりに。其鎧は色やつたはいな。詞扨は其金がなければ。鎧は源太が手にいらぬか。地ハルハア。はつと計にとうわくし。スヱテ暫シ詞もなかりしが。詞もと此鎧は頼朝卿に拝領《はいれう》。家にも身にもかへざるを地ハルしなしたり残ン念や。ウ今は悔《くやみ》てかへらずと胸押くつろげ刀を取ば。梅か枝あはて押シとゞめ色こりやまあどふうろたへてじや。詞しないでも大事ない。いや〳〵今ン夜の出ッ陣ンをはづれ。一ッ生埋木《うもれぎ》となりのたれ死せんより。只今切ッ腹そこはなせ。サア〳〵其鎧さへ手に入レは。おまへの望は叶でないか。して其金は。どふして調《とゝのへ》ると御ふしんも立トふ。そこがおまへと談

合づく。奥の客に身を任せたらしなば。二百両や三百両の金は自由《じゆう》。扨はおれ故身をけがすか。夫ト の難
義にや（80ウ）かへられぬ。地ハル 不便ンの者の心やな。上 仮《たとへ》死でも忘れぬと ウ 涙ぐめば。詞 ア、女房に何の礼。おま
へがこゝにござつては客をたらすに心が置《おか》れる。ヲ、尤〱後《のち》にこふぞや首尾能《しゆびよふ》しや。が気をもんで持《ぢ》
病《びやう》の痞《つかへ》。借銭《しやくせん》のかはりに 地ハル 積《しやく》おこらしてたもんなと フシ 別れてこそは帰りけれ。
ハルフシ 跡見送りて 中 梅が枝は ハル しばし スヱテ 涙にくれけるが。詞 必《かならず》気遣イなさるゝなエエ。わたしが心当テの有といふたはみ
んなうそ。お前の命が助たいばつかりじやはいな。何のよしみもない奥の客が。三百両の金くれふぞ。今
宵中に調《とゝの》へねば鎧も戻《もど》らず。源太様の望《のぞみ》も叶はず。金ならたつた三百両で。かはい男を殺《ころ》すか。ア、金が
ほしいなア。
三下リ歌 中 二八 キン 十 ウ 六で。文。ハルキン 中 付ら 合中 れて。二九の キンウ 十 八で。つい。ハルキン 中 其心。ハル 四五の ウ 廿なら。中 一チ期《ご》（81オ）に一チ
度。ウ わしや帯とかぬ。

詞ヱヽ、なんじやの。人の心もしらず面白《おもしろ》さふにうたひくつさる。あの歌を聞に付《ケ》ても。源太様に馴染《なれそめ》館を立退《キ》。君傾城に成さがつても一《チ》度客に帯とかず。一《チ》日なりと夫婦にならふと。思ひ思はれた女房をふり捨。此度の軍に誉《ほまれ》を取《リ》。勘当がゆるされたいと思召《ス》男の心はぶんな物じや。何かに付て女子程思ひ切のない物はない。男ゆへなら勤するもいとはねど。まだどのやうな悲しいめを見よふもしれぬ。夫《レ》も金ゆへ。何をいふても三百両の金がほしい。歌ウわしや帯とかぬ。合上廿ウ中なら四五の。合ハル四五のウ廿なら。中一《チ》期に一《チ》度《ど》。ウわしや帯とかぬ。ハルかへらぬ中昔。合恋忍ぶ。

詞ほんに夫《レ》よ。あの客殺して身請の金盗《ぬすま》ふ。イヤ〳〵。（81ウ）若《シ》仕損《しそん》し殺されてはとゝさんの敵も討れず。アヽどふしやうな。もはや日本国に梅か枝が。祈《いの》る神も仏もないかハアヽ。合ヲヽ夫《レ》よ。夫《ト》故には石と成《ッ》たる女も有《リ》。我は賤《いや》しき流《レ》の身なれど一《チ》念《ン》は誰《レ》におとらん。上岩ほとなれる手水《てうづ》鉢《ばち》。ハルウ水結《むす》び上口すゝぎ。キン伏《シ》拝《ミ》〳〵人に。しらせじウ聞せじとひしやく色追《ッ》取《リ》。ノリ詞伝《つた》へ聞《ク》無間《むけん》の鐘《かね》をつけば。うとく自《じ》在《ざい》心の儘《まゝ》。 江戸ハル 中 是よりさよの中山へ ウ 遙《はるか》の道は隔《へだゝ》れど。思ひ詰《つめ》たる我ヵ念ン力。 ハル 此手水鉢《てうづばち》を鐘《かね》となぞらへ。 色

ノリ詞 石にもせよ。かねにもせよ心ざす所は無間の鐘。 ハルウ 此 世はひるにせめられ未《み》来永々無間 ウ 堕《だ》獄《ごく》の業《ごう》をうく共。

色 だんない〳〵大事ない。 ハル 海川に捨タれる金。一トつ所へ寄セ給へ ウ 無間の鐘と 色 観《くはん》念《ねん》す

下コハリ 面ン（82オ）色ク ウ 忽紅梅《かうはい》の。花はちり〳〵心も髪も ウ 逆《さか》立上り。 ウ ひしやく持ッ手も身もふるはれ ナヲス 地ハル すでに

うたんと振《ふり》上る。二階《かい》の障《しやう》子《じ》の内よりも。 色 詞 其金爰にと三百両。 地ハル ばらり〳〵と投《なげ》出す。深《み》山おろしに ウ 山吹

トル の花ふきちらす 三重 〽ごとくにて。

地ハル 爰に三両かしこに五両。 ウ 是は夢か現《うつゝ》かや。となたか知ぬが ウ 此御恩《おん》死ンでも忘れぬ〳〵と。 ウ 嬉しいやらこは

いやらひろい集《あつむ》る心もそゞろ。 フシ 中 袖《そで》引ちざり三百両。 ハル 包《つゝむ》に余る ウ 悦び涙。鎧がはりの此金と。押シいたゞ

き〳〵。いさみいさんで 三重 上 〽走行。

地ハル 梶原源太景季首尾《しゆび》か不首尾の二筋を。 中 只一筋に。 ウキン 揚《あげ》屋町 ウ 奥は ウ さはぎの最《さい》中。 合 禿《かぶろ》がな出よかしと奥の吉ッ左

右《さう》聞ク迄は。暫シ待ッ間も千年セやの。首尾を窺《うかゞ》ふ姉おふで。今宵の中チ兄（82ウ）弟一ッ所に敵討んと思ひ込。小づまりゝしく鉢巻《はちまき》しめ梅か枝に逢《あふ》迄と。飛石伝《とびいしつた》ひ細ろじの合の切戸に身をひそめ。今や出ると待居たる。走《はしり》つまづき梅か枝は産衣《うぶぎぬ》の鎧を持タせ。息キを切てかけ戻りかしこにどつかと鎧櫃《びつ》。おろせはとつかは立帰る景季見るより飛立ッ計リ。やれでかしたいかい働《はたらき》 源太が武運につきざるも。弓矢神の御加護《かご》と押シ戴《いたゞき》。出ッ陣の刻限《こくけん》七つには間も有ルまじ。是よりすぐに出ッ陣めでたふ帰り対面《たいめん》せふ。無事で勤《つと》めやさらばやと立を引留。奥の客の情にて金を調《とゝの》へ。鎧を取ルと暇乞《いとまごい》もそこ〱。せめてしばしが中なりとわしにたんのふさせたがよい。殊に又おまへの耳へ入ねばならぬ事が有ル。まあ下に居て聞て下さんせ。けふ久し（83オ）ぶりで姉様にお目にかゝり。咄を聞ばとゝ様は大津にて。切れてお果なされたといな。其敵討ッ相《さう》談《だん》に姉様も見へる筈《はづ》と。聞て源太もはつと驚き。して〱其敵の名は何と〱。ヲ、其敵のけめう実名《じつめう》。わらはがいふて聞さふと。めつきり切戸引ぱづしつつと入ル姉お筆。のふよい所へ姉様幸ィあなたとお近カ

付。詞妹だまりや。近付にならいでも名はよふ聞たそなたの夫ト。サア〳〵梅か枝。源太殿に隙取た。エ、
ゑゝとはどうじや。親隼人《はいと》殿を討ッたる敵の子にはそはれまい。そんなりやと、様討たのは。はてしれた
事梶原平三。アノ景時様かへ。ハアはつとスヱテ計に中詞もなし。
詞其又父景時殿を親の敵といふ。慥《たしか》なしやうぜきいへ聞ふ。ヲ、有ル共〳〵。木曽殿のみたい若君御供申シ。
大津の宿《しゅく》にて梶（83ウ）原が討せしは。兄弟の者が父。鎌田の隼人清次殿。いや驚《おどろく》まい源太殿。しらぬ
顔はしら〳〵しい後ぐらひさもしい。サア〳〵地ハル妹縁フシ切たと中いへどハルこたへもないじやくり。地ウ扨は互の恋にか
らまれハル親を夫トに見かへるウのか。いへさうてはなけれ共因果《ゐんぐは》な縁を結《むす》び初メ。上今さらウ何と成物とスヱテかつぽとふ
中して泣いたる。
地ハル景季もつ色つ立上り。詞父を敵と狙《ねらふ》汝等。其方から望《のぞ》まいでもこつちから隙くれた。出ッくはしたを幸ィ此場《ば》
で返リ討にすべきを。見遁《のが》すは今迄のよしみ。地ウ女の業《わざ》には討タれぬ敵と観《くはん》ハル念《ねん》し。ウ尼法師《あまほうし》にもさまをかへ親

隼人がウ跡とへと詞フシするとに云ィ放《はな》せば。地ハルおふではくはつとせき上ヶ。ウ身不肖《ふせう》なれ共鎌田が娘腰抜《こしぬけ》と色思ふてか。詞但シ女童《わらべ》の刀で景時は切レまいかの。サア切レぬか切レ（84オ）るかあんばい見せふ源太殿。イヤ相手にならぬはおくれたかと。地ハル詰寄〱打ならす鍔音《つばおと》。ウ七つの鐘のウ胸《むな》さきにひゞきフシハル中渡れば。地ウ南無三宝早出ッ陣ンのハル刻限《こくげん》と。鎧ウ引ッ提《さげ》立上色るをどこへ〱。詞我々が付ヶ狙《ねらふ》をこなたにしられた上からは。たやすふは討れまし。景時のかはりに不足なれ共親子は一ッ体《たい》。敵の片われ一寸もうごかさぬと。地ハル詰《つめ》よればウ梅か枝もウ独《ひとり》は姉一人りは夫ト。ウあなたこなたをウフシ思ひやりうろ〱と立たる所に。

地ウいづくより共白羽の矢。ウ狙《ねらい》の坪《つぼ》はハルおふでが胸板。はつしと当ればかつぱと伏ス。ウのふ悲しやとあはて立寄ル梅か枝が。ウ腰《こし》のつがいを二の矢に射《ゐ》られはつと計リ驚キながら。ウ兄弟互ィに色顔見合セ。詞姉様に過《あやまち》ないか。そなたにけがはなかつたか。地ハル是はと驚キ取リ上見れば矢の根もなき二本の簳《やがら》。（84ウ）ウ何者の仕《し》業《はざ》ぞと奥を見入レて立たる中所に。ウ其射《い》人《て》爰にと一間のハル障子《しやうじ》さつとひらき。ウ滋籐《しげとう》の弓たづさへ色しづ〱と立出ウるは。梶原平三景時が妻《つま》の延寿《えんじゅ》。源太見るよりヤア母人面ン目もなき御対面《たい》ンと。畳《たゝみ》にひれ伏うづくまる。母は我子に目もかけず。しとやかに座に付キ。珍らしい千鳥。以前ンは自ラか召シ使の妼《こしもと》。今は名もかはつて梅か枝と云流レの身。そなたには此母が段々礼をいはねばならず。そも鎌倉を立退ィてより傾城に身をしづめ。源太をはごくむ心ざしを聞より。嫁に勤《つとめ》はさせられすはる〳〵と難波に上り。そなたを身請ヶせん為此揚《あげ》やへ来て様子を聞ヶは。折しも源太は勘当の侘《わひ》の綱にもと。一の谷へ出ッ陳。思ひもよらず産衣《うふきぬ》の鎧を揚銭のかはりに取れ。既《すで》に我子（85オ）も腹を切べき。難ン義となるを身に引受。世の雑談《ざうだん》に云ィふらせし無間の鐘を撞《つい》て成リ共。源太が望《のぞみ》を叶たいと我身を捨ていたはる心ン底《てい》。母は障子のあちらにて。残らず聞ていたはいの。我子に心をつくす梅か枝。何と無間にしづめられうひるのぢごくへおとされふ。最ィ前ン金を三百両やつたるも此延寿。勘当の子にみつぐ金。母が面テは合されず顔も名も包《つゝみ》しが。心は残らず打明すと語リも。あへず泣いたる。

地ウ扨は奥のお客と云も奥様ハルおまへで有ッたかと。驚《おどろく》ウ妹を突退《つきのけ》おふでは傍《そば》色へつつと寄リ。詞夫レ程恩有ル梅か枝に。
何で矢を射さしやつた。さつする所こなた衆親子が云合せ。返リ討にする所存で。射留メたと思はしやろが。
幹《やがら》計リで射られしは兄弟が運《うん》の強《つよ》さ。コレ天道様が明らかなによつて。非道《ひどう》（85ウ）の剣キは身に立ぬ。
何ンと非道《ひどう》て有ルまいか。いや非道にもせよ道にもせよ。現在夫《げんざいつま》の景時殿を付ケ狙《ねらふ》二人をば。即座《そくざ》に射留《いとめ》し
は自が手柄《てがら》。夫トへの忠節《ちうせつ》武士の妻に成た役。鏃《やじり》を抜ィて幹《やがら》計射かけしは。梅が枝への恩がへし延寿が心《しん》
底《てい》見られよと。地ウ胸押くつろけ二本のハル鏃突キ立んとする所を。ウ源太かけ寄リ何故の御自害とスエテ御手に。中すがり
押シとゞむ。
詞何故とはそちが可愛《かあい》さ景時殿か大切ッさ。のふお筆兄弟の衆。わらはが夫子を思ふに付。親を討れ無念に
有ふ口惜かろふ。親のかはりに景季を討ふとは尤。フシ去ながら。地ウ鎌田殿をハル討たるは。ウ意趣《いしゅ》切リやみ打の色業《わざ》で
もなく。詞木曽の落人を山吹親子を連て退ィたは。鎌田にもせよ誰レにもせよ。見付次第に討チ取たるは鎌倉

殿への忠節。番場の忠太が手（86オ）にかけしは。景時殿へ又忠節。草葉《くさば》のかげの隼人殿よも恨《うらみ》共思すまし。爰をよふ聞キ訳《わけ》延寿が自害《じがい》で敵討を済《すめ》。一ッ刻《こく》も早ふ源太を出ッ陳さして下され。今度の軍に手柄をして。宇治川の恥辱《ちじよく》をすゝがねば最早《もはや》一ッ生景季は。勘当の身で朽《くち》果る。夫レがかはいひ不便《びん》にござる。武士の夫トに連添《つれそへ》ば義によつて命を捨る。夫レはまだも惜《おし》かろふ子故には此からだ。一チ歩《ぶ》だめしにためされても命はちつ共惜《おし》ふない。サアとめず共しなしてくれと。気をもみ身をもみ声を上。子はか程にも思ふまいとかつぱと伏て泣いたる。

景季は一ッ心ン不乱《らん》母の慈悲《じひ》心肝《きも》にしみ。我故御心を苦《くる》しむる。不孝《かう》の罪《つみ》は子に報《むく》ひ此身は武運につき果んと。悔を聞て悔か枝。わたしが心も推量《すいりやう》（86ウ）仕《し》て下さりませ。敵を討《うた》では不孝《かう》と成リ討テば夫婦の縁切ルる。所詮《しよせん》此身を姉と夫トへ引キ分。死ふとおもひ定メしと嘆《なげゝ》ば。おふでも涙ぐみ。今のお詞を聞に付ケ父の古主《こしう》は鎌倉殿。夫レにそむく木曽殿のみだい若君。わらはか縁にてかくまひ。夫レ故に討れ給ふは古主の罰《ばち》。不忠させしも自故《みづからゆへ》。殊《こと》に番場が仕《し》業《はざ》と有レば。親子御共に敵でない。道をたてまことをつくす延寿様に過《あやまち》させてよい物か。此上の願ひには今迄の通此妹。御不便《びん》頼ム源太様。ヲ、聞分ケてさへ下さるれば。梅か枝は嫁嬉しや〱。是て夫トも安穏《あんおん》源太が望《のぞみ》も叶ふと云は。一ト筋ならず二筋の此幹《やから》。夫トを狙《ねらふ》兄弟を此矢で射《ゐ》留メ命を助ケ。夫婦中能フ添《そい》とげて。梶原の家を二タ度おこす此矢なれば。おろそかにはなしがたし。先ン祖《ぞ》鎌倉（87オ）の権五郎景政より。家の紋は三つ大の字に定まれ共。今よりは二筋の此幹《やがら》。梶原が家の定紋誉《ぢやうもんほまれ》を世上に顕《あら》はせと。義を立テ通す詞の張《はり》弓。梶原が矢筈《やはづ》の紋此時キよりとしられけり。

源太は悦び早お暇給はらんと。つつ立チ上ればヲ、夫レ々。片時《へんし》も早ふ出ッ陳の用意《ようゐ》〱と。皆立寄リて鎧《よろひ》櫃《びつ》武運もひらくる産衣《うぶぎぬ》の。鎧ひたゝれ小手脚当《すねあて》上帯引キしめ梅か枝が。結《むす》ぶいもせの忍びの緒《を》。甲打チ物夫レ々に箙《ゑびら》かきおい出立たる。こつがらゆゝ敷見へにける。

名残をしげに梅か枝も延寿様のお詞で。夫婦のかためはたつた今。仮《たとへ》此身は別《わか》るゝ共我名は夫トのかげ身に添《そい》。出ッ陣の御供と筒《つゝ》に生ヶたる紅梅《かうばい》を。一ト枝手折箙《たをりゑびら》にさせば。もとより若武者に合逢《あふ》若木の梅か枝が。互に無事《ぶじ》でと目でしらせ。（87ウ）うなづく度にちる梅の。匂《にほ》ひは袖に残りける。

適《あつぱれ》武者ぶりたぐひなやと。母は悦び両手を上ヶ今度の軍に花も源太も我先キかけん先キかけんと。かつ色見せて父の勘気《かんき》を赦《ゆるさ》れい。冥加《めうが》つきなば討死せよ。生キて帰るは不孝ぞと涙ながら教訓《けうくん》の。慈愛《じあい》の詞忝く我も平家と戦《たゝかは》んに。花箙《ゑびら》こそ能キ敵と多勢が中に取込メなば。太刀真向《まつかう》にかざしの花の。ちり〳〵ばつと追ッちらし向ふ者を拝打チ又。廻リあはゞ車切。くもでかくなは十文字。鶴翼飛《くはくよくひ》行《ぎやう》の秘術《ひじゆつ》とつくし誉《ほまれ》を取リ。其時母のお笑ひ顔見せうぞいさふれ早お暇《いとま》と。勇《いさみ》いさんでたつか弓。失筈の紋と景季が文ン武は古今《こゝん》にかんばしく。花有リ実《み》有ル武士《ものゝふ》と。語リ伝へて其名をは箙の。梅と末の代に誉を。永《なが》くとゞめける（88オ）

第五

地ハル源平たがいに責戦《せめたゝか》ふ生田《いくた》の大手を打やふらんと。梶原平三景時次男平次景高。ウ無二無三ウに切て入敵あまた切ちらし。ウ太刀のほめきをさまさんと責口少シ引退《しりぞ》き。フシ一ト息キついで立たる所に。

地色ウ後陣の方より番場の忠太ハル一さんに色かけ来り。詞搦手《からめて》の大将義経。平家の本ン陣須磨の城を責《せめ》んと有ッて。てつかいがだけ鵯越《ひよどりごへ》一チの谷の逆落《さかおと》し。手ばしかき謀《はかりこと》しらせ申スといはせも果ず父景時。ホ、よくしらせたり。軍にすばやき義経に。地ウ高名させては一チ分ン立ず今一チ度敵陣《てきぢん》へ切ッて入リ。ハル此ウ大手を打やぶり義経に鼻明《はなあか》せん。ウ気をたるますな者共やつと色下知の半《なかば》へ。詞ノリ梶原が物見の（88ウ）さいさく敵陣よりかけ戻り。只今平家の城中を窺《うかゞ》ふ所に。梶原やらぬ遁《のが》さぬと戦ィの真最中《まつさいちう》。御父子の外に梶原と名乗ル者の候や不審《ふしん》なりと注進《ちうしん》す。平次景高眉《まゆ》をひそめ。敵にもせよ味方にもせよ。梶原が名字を名乗ルは。我々親子の外にはない筈。鬼神も恐るゝ梶原の名字を盗《ぬすみ》。敵をおどさん為なるべし。何にもせよにつくいしかた。景高実否《じつふ》をたゞさんとかけ行を暫しとゞめ。梶原と名乗ルは外ならず兄の源太と覚る也。宇治川の耻を雪《すゝが》ん為。やさしくも先キかけせしな。よし誰レにもせよ其図《づ》に乗て此城郭《しやうくはく》を打チ破らん。つゞけやつゞけと一ッさんに城中さして 〽生田の森。

梶原源太景季平家の多勢と打合戦ひ。今を盛《さかり》の梅の大木小楯《こだて》に取ッてひかゆれば。平家の軍兵菊地《きくち》の一ッ党《とう》遁《のがさ》じ（89オ）やらじと追取巻まく。ヤア物々しや我にはあはぬ敵なれど。菊地と聞ば名にめでゝ。花に縁ン有ル草と木の。生田の梅も箙《ゑびら》の花もちりかゝつて面白や。八騎を相手に早咲キの梅も源太も咲かけに。勝色《かついろ》爰に未開紅《みかいかう》。飛鳥《ひてう》の飛梅秘術をつくし。けふの軍の好文ン木と。切ッて廻れば白梅変《へん》じて紅梅《かうばい》の。血汐《ちしほ》流レて敵もひるまぬやり梅に甲も打落されて。大わらはの姿と成て引なひかじと春風に花をちらして 〽

戦ひける。

景季は事共せず百術《じゆつ》千ン慮《りよ》の手をくだき。けさ切たてわり腰車。切伏〳〵皆殺しおそれて寄リ付ク敵もなし。汀《みぎは》の方より四五十騎真砂《まさご》を蹴《け》立かけ来る。すはや敵よと太刀取直《なを》し近カ付を能ク々見れば。父の平三景時なり。源太は見るより大地にひれ伏恐れ入たる風情《ふぜい》也。

さすが義づよき景時も。久しぶりの我子の顔。見るめの中に涙をうかめ。やをれ景季汝が（89ウ）所存《しよぞん》も母延寿が物語《ものがたり》にて聞たるが。武士の身に取ては忠孝の二つ。何れに愚《おろか》はなけれ共尤重《おも》きは君ン命。そこを弁へざるは武士の若気《わかげ》。勘当したるも汝が心をはげます為の母の慈悲《じひ》。がてんがいたか景季。今こそ父が実《まこと》の子と。手を取て引立物の具のちり打はらへば。扨は源太が御勘当御赦免《しやめん》とや。云にや及《およぶ》汝が今日此城中に踏《ふみ》とゞまり。平家の多勢を切リなびけ菊地か一党《とう》討チ取たるは。宇治川の先ン陣に勝《まさ》つたる高名。此勢ひに乗ッて落行平家を討とゞめん。いざこい源太跡につゝけや者共と。親子主従《しうぐ》いさみにいさみ汀《みきは》をさして追て行。梶原が二度のかけとは今此時としられける。

搦《からめ》手の大将軍九郎判官義経公。一チの谷の大敵を逆落しの一ッ戦ンに責《せめ》やぶり。平家の一チ門ン或《あるい》は討れ或は四国に落行ヶは。鎧の袖にかつ色（90オ）見せ軍の労《つかれ》を晴《はら》さんと。花にたむろの名大将下知になびかぬ草もなし。

か丶る所へ畠山の次郎重忠。樋口の次郎を高手にいましめ御前間近ヵく引居れば。跡につゞいて梅か枝兄弟。権四郎若君をかき抱《いた》き。道々も申シ上る通リ。樋口殿をお助ヶ有様にお取なし。ち丶ぶ様のお情と鎧の袖に取リ付キすがるをめもやらず御前に向ひ。仰に随ひ樋口が罪科《ざいくは》。法皇のゑいぶんに達し候へば。主の為に仇を報《ほう》ぜんとはかる忠臣の心。あながち罪科《さいくは》共云がたし去リながら。勇者は勇者の法に任せともかふも。義経が心の儘《まゝ》にはからふべしとの院宣《ゐんぜん》故。重《かさね》而召ぐし候と申シ上ればされぱこそ。恐れながら法皇のゑいりよ。我思ふ所あたかもふがうをあはせたるがごとし。今彼を罪科せば。此後主君の為に仇《あだ》を報《ほう》ぜんと思ふ忠臣の道絶果《たへはて》。弓矢の道を失ふ道理。地色ウ樋口が命は助ヶべし。ハル早縄とけと（90ウ）色の給へば。詞いやのふ義経殿。いはれぬ弓矢の道を云ィ立我を助け。兼《かね》て中よからぬと聞。地ウ梶原などが讒言《ざんげん》にあいハル鎌倉殿と中たがふて。ウ後悔《こうくはい》ばしし給ふな。ウよつく分ヶ別せられよと死を返《かへ》り見ぬ心ざし。色義経打笑はせ給ひ。詞天下の政事《まつりごと》に小鮮《せうせん》をにるがごとし。梶原づれが讒言《ざんげん》を聞入レ。義経と中違ふ鎌倉殿ならば。夫レこそ日本弓矢のはめつ。

地ウ助けよといはぬ計の法皇の院宣《ゐんぜん》。ウ殊更《ことさら》義仲内甲に残されし。ウ謀反《むほん》ならぬハル最期《さいご》の一ッ色通明らかなれば。詞汝にか丶る科《とが》はなし弥《いよ》〳〵命助るぞ。殊に汝が子ならぬ子の槌松十五才に成ル迄権四郎とやらん随分いたはり守《もり》育《そだて》よ。地ウ鎌倉表はハル此義経が勲功《くんこう》にかへても。ウ宜《よろしく》事をはからふべしと。ウ始めつがひしちゝぶの詞未前《みぜん》に察《さつす》る名将の。恩義《おんぎ》に縄も打とけておふで兄弟樋口が悦び。ウ権四郎有がたウ涙若君抱《いだ》きいそ〳〵とフシ福島さして立帰る。（91オ）

地ハル梶原平三景時親子三人。ウ番場の忠太を引ぐしおくればせに色かけ付ヶ。詞扨こそ樋口がいましめとかれしな。

勇士《ゆうし》は勇士のはからひにせよとの院宣。私シに縄をとかれしは鎌倉殿をふみ付るしかた。但シは我身を勇者《しや》と高ぶつてのしはざか。大将顔をふるまふての仕業《しはざ》ならば。此景時も侍大将なぜ談合はめされぬ。忠太よつて樋口の次郎に縄かけよといはせも立ず義経公大きに面色《めんしよく》かはらせ給ひ。樋口を助ケ誤リならば義経が腹切ル迄の事。一チ度ならず二度ならず過言ンの振舞《ふるまひ》赦《ゆる》されずと太刀に御手をかけ給へは。景時も膝《ひざ》立テ直《なを》し。御辺が首に景時が太刀は立ぬ物か。サア抜れよ相手にならんと詰《つめ》寄スれは。秩父《ちゝぶ》は君を押シかこふ父は源太が押へだて秩父殿御前のお取なし。いふにや及ぶ大事を前に置ながら諍《あらそ》ひは善悪共（91ウ）に皆非《ひ》也。景時を引立られよ。承ると無二無三つれて御前を立にける。

此ていを見て平治景高。ヱ、なまぬるい兄のさいばい。親父のかはりに相イ手に成。サア義経殿と詰《つめ》寄ル所を。樋口すかさず飛かゝり。景高が衿《ゑり》かいつかみ引かづいてどうど投ケ付れば。是はと立チ寄ル番場の忠太首筋つかんでうごかさず。コレ〳〵兄弟。父隼人を討たるはこいつと聞。親の敵今討テと力に任せ打ケ付れば。地ハル兄弟嬉しさ飛立ッ計リ。親の敵覚へたか〱とおこしも立ず。寸々《ずん〱》に切たかでかした〱。色詞こいつはおれがさいなまんとどうぼねふまへて首ふつゝと捻《ねぢ》切リ。鎌倉殿の寵臣《てうしん》梶原が倅《せがれ》を我手にかけ。生害《しやうがい》とぐる上からは我を助ヶ給ひし。義経の御身に後難《こうなん》もなく誰々になんぎもかゝらず。地ハルかへす〱血をわけぬ倅が事。義経公重忠の御れんみん頼奉ると。(92オ)云フより早く太刀取リ直《なを》し。我と我首ゑい〱とかき落す

フシ忠義のさいごぞいさぎよき。

地ハル各〱《おの〱》勇士《ゆうし》の心を感《かん》じ諸卒《しよそつ》を随《したが》へ御凱陣《かいぢん》。平家の大敵悉《こと〲く》八島の外カへ切なびけ。めでたき春に咲キ栄《さか》へ。勝ッ色見する箙の梅。源氏は益々《ます〱》逆櫓の松。栄へは千年セの若緑《みどり》。竹の齢《よはひ》は万々歳神と君との道直《すぐ》に治る。御代こそめでたけれ

元文四巳未歳
四月十一日　　　作者連名
文耕堂
三好松洛
浅田可啓
竹田小出雲
千前軒（92ウ）
右之本頌句音節墨譜等令加筆候
師若針弟子如糸因吾儕所伝泝先
師之源幸甚
筑後高弟
竹本播磨少掾
予以著述之原本校合一過可為正本者
也
竹田出雲掾

京二条通寺町西へ入丁　正本屋山本九兵衛版
大坂高麗橋二丁目出店　山本九右衛門版

解　題——ひらかな盛衰記

◎底本　天理大学附属天理図書館（911.7-117(6)）
◎体裁　半紙本　一冊
◎表紙　原表紙
◎題簽　替題簽
◎行・丁数　本文七行・九二丁（実丁）
◎丁付　盛 壱〜盛 三十八、盛道 三十九〜盛道 四十一、盛 四十二〜盛 八十、盛 八十一弐、盛 八十三〜盛 九十二、盛 九十三了（ノド）
◎内題　逆櫓松／矢箙梅　ひらかな盛衰記
◎年記　元文四己未歳四月十一日
◎作者　文耕堂・三好松洛・浅田可啓・竹田小出雲・千前軒（本文末）
◎奥書　有
◎板元　（京）山本九兵衛
（大坂）山本九右衛門
◎番付　無
◎絵尽　有
◎初演　元文四年四月十一日　大坂竹本座

『義太夫年表　近世篇』第一巻一一八頁参照

◎主要登場人物
源義経　和田小太郎義盛
木曽義仲　山吹御前
巴御前　梶原平三景時
梶原源太景季　梶原平次景高
お筆　千鳥（梅が枝）
鎌田隼人清次　延寿
権四郎　およし
樋口次郎兼光（松右衛門）　畠山次郎重忠

◎梗概
［第一］
（伊賀国・鈴鹿山麓　射手明神）13頁2行目〜18頁6行目
元暦元年（一一八四）正月二十日。
源頼朝から源範頼と共に木曽義仲追討を命じられた源義経は、佐々木高綱、畠山重忠、和田義盛ら二万五千余騎を従えて、伊勢路を経て鈴鹿山麓に至る。通りかかった老人に宇治に向かう道を尋ね、またここが射手《いとど》という明神であることを知る。この度の戦いの勝運を試そうと、梶原平三景時が義仲に見立てた日の丸の軍扇を射るが、狙いが外れて義経の白旗に当たってしまう。義経の不興を買った景時は切腹を覚悟するが、高綱が今度の戦いで高名を上げれば良いと取りなし、景時は窮地を救われる。

（近江国・木曽義仲館）18頁7行目～25頁3行目

都に程近い木曽義仲の館。義仲の妻・山吹御前や子の駒若君らは、女中達と賑やかに春を迎えている。源範頼と義経の軍勢が義仲追討のためにこの館に向かっていることを知り、義仲は四天王といわれる楯六郎と根井小弥太には宇治を、今井兼平には瀬田を守らせているが、樋口兼光は河内で多田蔵人行家と戦っていて都にはいない。

院（後白河法皇）との面会も叶わず帰館した義仲はすでに覚悟を決めており、山吹御前に駒若と共に館を抜け出て、後日、自らの汚名を晴らしてくれるように頼むので、二人は泣き崩れる。

義仲の愛妾・巴御前は懐胎の身ながらも合戦に参加していたが、宇治川の戦いで楯、根井も討ち死にして敗れたことを知らせに来る。義仲は巴御前と共に最期の戦場である粟津が原へと出陣する。腰元・お筆の父・鎌田隼人は源氏譜代の侍の弟で、桂の里に住んでいるので、山吹御前と駒若はお筆の実家を目指す。

（近江国・粟津が原）25頁4行目～38頁6行目

最期の供を許されなかった巴御前は鎌倉勢を相手に一人で奮闘するが、義仲の討ち死にを知らされて動揺し落馬したところを和田義盛に捕らえられる。

義仲は、木曽の郎党でありながら鎌倉方に密通していた石田次郎に討たれ、梶原景時が義経の前に義仲の首を差し出す。実検した義経は、同じ清和源氏の嫡流でありながら朝敵となり果てた義仲の首を打ち据えて辱めるが、巴御前は義仲の本心を明かす。

御所の警護に当たっていた義仲は、法皇から平家を滅亡させて必ず三種の神器を奪い取るように命じられたが、平家を油断させるために自ら朝敵となり謀反人の汚名を受ける必要があった、と言う。巴御前の言うとおり、佐々木高綱が義仲の兜を改めると中に義仲の一通が忍ばせてあり、計略が記されてあった。義経は、義仲の心底に思いが至らなかった自らの不明を恥じる。

和田義盛は巴御前の懐胎を義経に告げ、子が誕生するまで預かることを主張するが、梶原景時はこれを不服とし、自分が取り次いだ石田次郎が今井兼平をも討ち取ったことに恩賞を与えるよう主張する。今井は主君の死を知って自ら太刀を咥えて自害したと畠山重忠に明らかにされ、景時と重忠は対立するが、義経は頼朝の裁許に委ねる。義経は巴御前を和田義盛に預けることとし、後に巴御前が生んだこの子は和田家に迎えられ、朝比奈三郎義秀を名乗る。

［第二］

（山城国・桂の里　楊枝屋）38頁8行目～47頁10行目

腰元お筆は山吹御前と駒若君を匿うため、桂の里で楊枝屋を営む父・鎌田隼人のもとに身を寄せている。隼人は姉娘のお筆を義仲に、妹娘の千鳥を梶原家に奉公させ、源氏への帰参の機会をうかがっていた。

この家から女の声がするとの噂を聞いた家主が様子を見に来たが、隼人はうまく言い抜ける。長持の中に隠れていた山吹御前と駒若がお筆に伴われて現れ、山吹御前は隼人に礼を述べ、また義仲の最期に居合わせなかった家臣・樋口兼光の不忠を嘆く。

家主の手引きにより、梶原方の追手である番場忠太とその家来がこの家を取り囲む。隼人の機転で飼っていた猿を若君の身替りに差し出し、入れ替りに一味を家の中に閉じ込めて、三人は危ういところを逃れる。

（相模国・梶原景時館）48頁1行目～64頁4行目

梶原平三景時の留守宅では、頼朝から拝領した産衣《うぶぎぬ》の鎧兜を飾り、妻・延寿は長男・源太景季の誕生日の祝いの準備で忙しい。

梶原家に奉公した千鳥は源太とすでに恋仲になっており、源太の弟・平次景高は病気と偽り戦いにも加わらず、嫌がる千鳥に横恋慕してしつこく言い寄っている。そこへ横須賀軍内が景時から延寿への書状を携えて帰館し、間もなく源太も帰着すると知らせる。

都から源太が烏帽子大紋の優美な姿で帰ってくる。母・延寿は無事な姿を見て喜ぶが、戦いの半ばに何故景時は源太を一人で帰したのかと訝る。源太は、子細は母に聞くようにと父に言われて帰ってきたと言う。

そこへ弟・平次景高が現れ、源太に宇治川での佐々木高綱との先陣争いの様子を語るように所望する。源太と高綱が橋の小島が崎から川へ二頭の馬で乗り入れたところまで話すと、平次は、源太が馬の腹帯を締め直している間に高綱に先陣を奪われたのであろうと、源太を辱める。

源太は母・延寿に、宇治川の先陣争いで高綱に手柄を譲ったのは、射手明神で父・景時の窮地を高綱が救ってくれた恩義に報いるためであったと明かし、切腹しようとする。景時が延寿に宛てた書状にも、源太を切腹させよと書いてはあったが、延寿は、ここで命を捨てては烏帽子親である頼朝の恩にまだ報いてはいないと源太を諫め、切腹を思い留まらせる。延寿は生きて忠義を尽くせよと源太を阿呆払いの勘当とし、頼朝より拝領した産衣の鎧兜を持って行けと命じる。鎧兜の入った具足櫃には、母の配慮で千鳥を忍ばせてあった。

[第三]

道行君後紐（山城国・桂の里から近江国・大津へ）64頁6行目～67頁7行目

桂の里を逃れた山吹御前、駒若君、お筆と鎌田隼人は木曽路を目指して落ちて行く。義仲が討ち死にした粟津が原を臨んで追分を過ぎ、今晩は大津の宿に泊まることとする。

（近江国・大津 宿屋「清水屋」から大藪へ）67頁8行目～82頁3行目

大津の宿屋では、山吹御前一行の隣の部屋に、摂州・福島の船頭・権四郎と娘のおよし、その子の槌松の三人が泊まり合わせていた。およしの亭主は三年前に亡くなり、思い立っての巡礼の途中であった。むずかる駒若君に権四郎が大津絵を与えたことから互いに打ち解け、駒若と槌松は同じ三歳と知る。

夜が更けて、子供二人が部屋を抜け出して廊下で機嫌よく遊んでいるうちに、行燈の灯が消えてしまう。そこへ山吹御前の一行を追ってきた番場忠太が、大勢の家来と共に踏み込んできた。

一行は宿屋を抜け出して大藪の中を逃げ、お筆は山吹御前と駒若君を守ろうと捕手を相手に奮戦する。隼人は忠太に追い詰められて斬り殺され、山吹御前が抱いていた駒若も忠太に奪われて、その場で首を切られてしまう。

捕手を追い払って戻ってきたお筆は駒若の死を知って悲しみにくれるが、亡骸に着せてあった笈摺が槌松のものであることに気づき、駒若君の強運を喜ぶ。深手を負った山吹御前もここで息絶えてしまう。

お筆はひとまずここを立ち去り、妹・千鳥と力を合わせて主君と父の仇を討つことを決意し、切り取った藪の笹竹に山吹御前の亡骸を乗せて引いていく。

（摂津国・福島 船頭松右衛門宅）82頁4行目～109頁1行目

前段の二ヶ月後、福島の船頭・権四郎の家では娘・およしの前夫の三年忌が営まれ、大津の宿屋で取り違えられた男児の面倒を見ながら、槌松の帰りを待ちわびている。梶原に召された松右衛門が帰ってきて、この家に伝わる逆櫓という操船法が認められれば、義経の船頭に取り立てられると言われたとのことで、皆は婿の出世話に喜ぶ。

大津で別れ別れになってしまったお筆が、槌松の笈摺を手掛かりにこの家に辿り着いた。喜ぶ権四郎とおよしの親子は、お筆が槌松を連れて帰らないことを訝る。お筆は大津の宿屋での一件を語り、槌松はすでにこの世にはないので、取り違えた男児を返してくれるように頼む。権四郎の前に、始終の様子を聞いていた松右衛門が男児を抱いて現れ、実は自分は木曽義仲の四天王の一人と言われた樋口次郎兼光であり、男児は主君・義仲の遺児・駒若君であることを明かす。樋口は、義理の子である槌松が身替りとなって主君の幼君を守ることで、主君の最期の場に居合わせなかった自らの汚名を晴らすこととなった。

権四郎も娘婿の松右衛門の武士道が立てられることに納得し、幼君をこの家で匿うことを約束するので、お筆も若君を樋口に託して、姉・千鳥を訪ねて香島を目指す。

逆櫓の稽古にやってきた船頭仲間の三人を乗せて、松右衛門は船を漕ぎ出すが、梶原はすでに松右衛門の素性を見抜いていた。権四郎が畠山重忠に訴人したため、周囲を源氏方に取り囲まれてしまう。権四郎が訴人したのは駒若君をおよしの子とすることでその命を助けるためと分かった樋口は、潔く重忠に捕らえられる。

［第四］

（摂津国・香島　辻法印宅）109頁3行目～118頁8行目

香島の里の辻法印宅に身を寄せている源太は、明朝、義経が一の谷に出陣すると聞き、これに加わるため、千鳥に預けている産衣の鎧兜が必要になる。しかし千鳥のもとへ行こうとするのに紙子の風体では具合が悪いので、金を工面するため法印を無理矢理弁慶に仕立てて、百姓達から米穀を取り立てる。

（摂津国・神崎　揚屋「千年屋」）118頁9行目～135頁8行目

神崎の揚屋で千鳥は梅が枝と名乗って傾城勤めをしている。久しぶりに再会した姉・お筆から父・隼人の非業の死を聞かされ、姉妹は父の仇討ちをする決意を固める。

源太が梅が枝に預けた鎧兜を取りに来るが、すでに源太が使った梅が枝の揚代三百両の質草となっていた。失望のあまり自害しようとする源太に、梅が枝は身請けの客に身を任せて金の工面は自分がすると言う。

策に窮した梅が枝は、庭の手水鉢を中山の無間《むけん》の鐘になぞらえて打とうとすると、二階から何者かによって三百両が投げ出された。

鎧兜を手に出陣に逸る源太を梅が枝（千鳥）が引き止めているところに、姉・お筆がやって来て、姉妹の父の敵は源太の父・梶原景時と明かす。お筆が千鳥に源太と縁を切ることを迫っていると、姉妹に幹《やがら》が射られる。鏃《やじり》のない幹だったので怪我はなかったが、射たのは源太の母・延寿で、先ほどの三百両も延寿が二階から投げ与えたものであった。延寿は姉妹に仇討ちを止めさせ、源太を参陣させて手柄を立て勘当を赦させたいと願い、自害しようとする。その心情にお筆も仇討ちを思い留まり、源太は一の谷へと向かう。

[第五]

（摂津国・生田森）136頁2行目～142頁8行目

須磨城の平家本陣を前に梶原景時・景高親子が攻めあぐんでいる所に、予想外に源太の奮戦ぶりが伝えられ、父・景時は源太の活躍を誉めて勘当を赦す。

鵯越の攻略に成功して平家を西国に追いやった義経の前に、樋口が重忠に引かれて来る。義経は樋口の忠臣ぶりに縄を解くが、そのことを巡って景時と争いになる。樋口は番場忠太を捕えて、お筆・千鳥の姉妹に父の仇を討たせ、自らは景高を切った後、義経らに駒若君のことを託して自害する。

◎七行本との校異

七行校異本（A）国立文楽劇場蔵（5865）

七行校異本（B）東京藝術大学附属図書館蔵（W768.427/Hi-11b）

七行校異本（C）早稲田大学演劇博物館蔵（ロ10-2192）

七行校異本（D）早稲田大学演劇博物館蔵（ロ10-577）

・15頁8行目「いつぱ」→（C・D）「いつば」

※底本と（A）は「ぱ」の半濁点が「●」になっているが、（B）は「ぱ」、（C・D）は「ば」。

・27頁4行目「こはざれなせられぞ」→（C・D）「こはされなせられそ」

※底本と（A）は「こはざれな」の「ざ」の濁点の二つ目（右側）の刷りが非常に薄いが、（B）は明確な濁点「ざ」、（C・D）は「さ」。

・55頁1行目「三段ッ計」→（A・B・C・D）「一段ッ計」

※(A)は「二」の入りに「三」の一画目の削り跡が残るが、(B・C・D)は真っ直ぐな「二」。
・56頁2行目「出しやばるな」↓(D)「出すぎるな」
・104頁5行目「あいたしこ」↓(D)「こゝかしこ」
・111頁9行目「踏《ふみ》もならはぬ」↓(C・D)「ならはぬ」に「フシ」の文字譜有。
・117頁4行目「真《ま》顔《がほ》になつて」↓(C・D)「なつて」に「フシ」の文字譜有。
七行本については、底本・校異本とは別に、全く版を異にする九八丁(実丁)本があり、用字、文字譜、墨譜等の異同が多い。

◎十行本との校異
十行校異本　早稲田大学演劇博物館蔵(ニ10-1600)
・35頁9行目「解《け》状《じやう》に」↓「けんしやうに」
・45頁2行目「隠《かくれ》てござつて」↓「かくれござつて」
・52頁5行目「早速《さつそく》に切しづめ」↓「さつそく切しづめ」
・55頁1行目「三段ン計」↓「一たん計」
・69頁10行目「船乗とこそ」↓「せんどうとこそ」
・79頁3行目「ヌ、と仰天《げうてん》」↓「ヌ、げうてん」
・88頁3行目「翫《もちあそび》にあやかしやうぞ」↓「もちあかしやうぞ」
・97頁8行目「隼人《はいと》もあへなく」↓「はいとあへなく」
・108頁6行目「何ンぼやらん〳〵と」↓「何ンぼやらんと」
・113頁10行目「差別《しやべつ》なく」↓「しやべつもなく」
・115頁1行目「一チ倍増《ばいまし》にて」↓「一ばいましに」
・117頁3行目「無心ンおつしやる」↓「無心におつしやる」
・118頁2行目「首尾《しゆび》能フいたも」↓「しゆびよくいたも」
・127頁7行目「夢か現《うつゝ》かや」↓「夢かや現かや」
・130頁8行目「過《あやまち》ないか」↓「あやまちないと」
・136頁4行目「責《せめ》んと有ッて」↓「責んとて」
・142頁6行目「各《おの〳〵》　勇士《ゆうし》の」↓「ゆうしの」

◎補記
・13頁3行目、52頁4行目、98頁1行目、107頁9行目の「範頼」の「範」は、底本の表記は脚の右側が「丸」。
・18頁5行目「巍々《ぎ〳〵》」の「巍」は、底本の表記は脚の左側の「委」が「秀」。
・38頁8行目の「稽《げい》」、103頁4行目「稽古《けいこ》」の「稽」は、底本の表記は上部の左が「禾」、右が「尤」、下部が「言」。

・63頁8行目の「憐愍《れんみん》」の「愍」は、底本の表記は冠が「民」、脚が「心」。
・64頁1行目の「逆罰《さかばち》」の「罰」は、底本の表記は脚が「伐」。
・82頁4行目の「難波《なには》潟《がた》」、89頁6行目の「難波潟《がた》」の「潟」は、底本の表記は旁が「写」。
・110頁1行目、同2行目、同3行目の「菩《ぼ》薩《さつ》」（合字）は、いずれもいわゆる「ササテン菩提」であるが、振り仮名によって「菩薩」で翻刻した。
・136頁5行目の「鵯　越《ひよどりごへ》」の「鵯」は、底本の表記は偏が「申」。

◎天理大学附属天理図書館本翻刻番号第１４４４号

（桜井　弘）

義太夫節人形浄瑠璃上演年表（一七一六－一七六四）

一、この年表は、享保期から明和元年にかけて初演された義太夫節人形浄瑠璃作品について、上演年月と翻刻状況を中心に示したものである。

一、上演年月と外題は主に『義太夫年表　近世篇』八木書店に拠り、神津武男『浄瑠璃本史研究』八木書店を参照した。

一、同一の興行外題による再演（推定を含む）は、その正本の現存が『義太夫年表　近世篇』等で確認されているものを掲出した。

一、年表の座（所演）欄の略号は以下の通り。備考欄の「＊」は所演に係る注記事項。

豊：大坂豊竹座　**外**：江戸外記座
竹：大坂竹本座　**辰**：江戸辰松座
出：大坂伊藤出羽掾座　**肥**：江戸肥前座
明：大坂明石越後掾座　**土**：江戸土佐座
陸：大坂陸竹小和泉座　**喜**：竹本喜世太夫座
北：大坂北本和泉座　**未**：所演座未詳
宇：京宇治座
扇：京扇谷豊前掾座

一、翻刻欄には、第二次世界大戦後、『義太夫節浄瑠璃未翻刻作品集成』以前に刊行された翻刻書（原則として私家版および紀要等の雑誌に掲載されたものは除く）の有無について、以下の記号で示した。

▼：未翻刻
▲：未翻刻（戦前に翻刻あり）
▽：改題本または再演本で未翻刻（原作は翻刻あり）
×：正本の現存不明

一、翻刻欄または備考欄に記した翻刻書等の略号は以下の通り（丸文字は収録巻）。翻刻書が複数ある場合、近松門左衛門作品は『近松全集』岩波書店を、それ以外は最新刊を掲げた。なお、翻刻の会については、『同志社国文学』同志社大学国文学会に掲載された翻刻の一覧を年表末に付記することとした。

一風：『西沢一風全集』汲古書院、二〇〇二～二〇〇五年
海音：『紀海音全集』清文堂出版、一九七七～一九八〇年
加賀：『古浄瑠璃正本集　加賀掾編』大学堂書店、一九八九～一九九三年
義浄：『竹本義太夫浄瑠璃正本集』大学堂書店、一九九五年
旧全：『日本古典文学全集』小学館、一九七〇～一九七六年
旧大：『日本古典文学大系』岩波書店、一九五七～一九六七年
浄翻：『浄瑠璃正本翻刻集』国立劇場、一九八八年～
真宗：『大系真宗史料　伝記編4　真宗浄瑠璃』法藏館、二〇〇九年
新全：『新編日本古典文学全集』小学館、一九九四～二〇〇二年
新大：『新日本古典文学大系』岩波書店、一九八九～二〇〇五年
叢書：『叢書江戸文庫』国書刊行会、一九八七～二〇〇二年
近松：『近松全集』岩波書店、一九八五～一九九四年
半二：『日本古典全書　近松半二集』朝日新聞社、一九四九年
文流：『錦文流全集』古典文庫、一九八八～一九九一年
未戯：『未翻刻戯曲集』国立劇場、一九六七年～
近世篇：『義太夫年表　近世篇』八木書店、一九七九～一九九〇年
未翻刻：『義太夫節浄瑠璃未翻刻作品集成』玉川大学出版部、二〇〇六年～

年	月	座	外題	翻刻	備考
享保1	1	豊	八幡太郎東初梅	海音⑥	
	1頃	豊	鎌倉三代記	海音④	
	夏頃	豊	新板兵庫築島	海音④	
2	春	豊	傾城国性爺	海音③	
	2	竹	国性爺後日合戦	近松⑩	
	8	竹	鑓の権三重帷子	近松⑩	
	9	豊	照日前都姿	×	
	10以前	豊	八百屋お七	海音③	
	10	喜	八百屋お七恋緋桜	▼	＊江戸
	11	竹	聖徳太子絵伝記	近松⑩	
3	1	竹	山崎与次兵衛寿の門松	近松⑩	
	2	竹	日本振袖始	近松⑩	
	3	喜	八百屋お七恋緋桜付リ後日	▼	＊江戸
	7	竹	曽我会稽山	近松⑩	
	8	豊	傾城吉原雀	×	
	10	竹	日蓮上人記	×	
	10	竹	傾城酒呑童子	近松⑩	
	11以前	豊	山椒太夫葭原雀	海音④	
	11	豊	今様賢女手習鑑	×	
	11	竹	博多小女郎波枕	近松⑩	
	12	竹	善光寺御堂供養	近松⑭	
4	1	豊	義経新高館	海音④	
	2	竹	本朝三国志	近松⑪	
	5	豊	神功皇后三韓責	海音⑤	
	8	豊	頼光新跡目論	海音⑤	
	8	竹	平家女護島	近松⑪	
	8	辰	八百屋お七江戸紫	▼	
	10	豊	業平昔物語	▽	『河内通』加賀④の改題
	11	竹	傾城島原蛙合戦	近松⑪	
	この年	豊	笠屋三勝二十五年忌	×	『二十五年忌』海音⑥の別本
	この年	喜	熊野権現烏午王	文流㊦	＊大坂曽根崎芝居
	この年	喜	竜宮東門阿波鳴戸	×	＊大坂曽根崎芝居
5	1	豊	鎮西八郎唐土船	海音⑤	
	3	竹	井筒業平河内通	近松⑪	
	8	竹	双生隅田川	近松⑪	

年	月	座	外題	所収	備考
	9	豊	日本傾城始	海音⑤	
	11	竹	日本武尊吾妻鑑	近松⑪	
	12	竹	心中天の網島	近松⑪	
	この年	竹	河内国姥火	▲	未翻刻二⑬
6	1	豊	三輪丹前能	海音⑤	
	2	竹	津国女夫池	近松⑫	
	5	豊	伏見常盤昔物語	×	
	7	竹	女殺油地獄	近松⑫	
	閏7	豊	呉越軍談	海音⑥	
	8	竹	信州川中島合戦	近松⑫	
	10	豊	富仁親王嵯峨錦	海音⑥	
7	1	竹	唐船噺今国性爺	近松⑫	
	1	豊	大友皇子玉座靴	海音⑥	
	1	辰	重井筒難波染	▽	『心中重井筒』近松⑤の改題 近世篇〈補訂篇〉参照
	3	竹	浦島年代記	近松⑫	
	4	豊	心中二ツ腹帯	海音⑥	
	4	竹	心中宵庚申	近松⑫	
	6	辰	心中二つ腹帯	▽	『心中二ツ腹帯』海音⑥の改題
	9	竹	仏御前扇車	近松⑭	
	11	豊	東山殿室町合戦	海音⑦	
	顔見世	豊	坂上田村麿	海音⑥	近世篇参照
8	1	豊	玄宗皇帝蓬莱鶴	海音⑦	
	1	未	花毛氈二つ腹帯	×	＊江戸『心中二ツ腹帯』海音⑥の改題
	2	竹	大塔宮曦鎧	近松⑭	
	5	豊	記録曽我玉笄髷	▼	未翻刻二⑭
	7	豊	井筒屋源六恋寒晒	一風④	
	7	豊	傾城無間鐘	海音⑦	
	11	豊	建仁寺供養	一風④	
	11	竹	桜町昔名花	×	
9	1	竹	関八州繋馬	近松⑫	
	2	豊	頼政追善芝	一風④	
	7	竹	諸葛孔明鼎軍談	叢書⑨	
	10	豊	女蝉丸	一風⑤	
	11	竹	右大将鎌倉実記	▲	未翻刻一⑪
10	1	豊	昔米万石通	一風⑤	
	3	豊	南北軍問答	一風⑤	
	5	豊	身替弳張月	一風⑤	

	5	竹	出世握虎稚物語	▲	未翻刻一①
	6	竹	復鳥羽恋塚	▽	『一心五戒魂』義浄㊤の改題
	9	竹	大内裏大友真鳥	叢書⑨	
	10	豊	大仏殿万代石楚	一風⑤	
11	2	豊	曽我錦几帳	▼	未翻刻二⑮
	4	豊	北条時頼記	一風⑥	
	9	竹	伊勢平氏年々鑑	▲	未翻刻一④
12	1以前	外	頼政追善芝	▽	『頼政追善芝』一風④の江戸上演
	1	竹	敵討御未刻太鼓	▲	未翻刻二⑯
	2	豊	清和源氏十五段	▼	未翻刻一⑥
	4	竹	七小町	叢書⑨	
	8	竹	三荘太夫五人嬢	叢書⑨	
	8	豊	摂津国長柄人柱	叢書⑩	
13	2	豊	尊氏将軍二代鑑	▼	未翻刻一⑤
	3	竹	工藤左衛門富士日記	▲	未翻刻一③
	5	豊	南都十三鐘	▼	未翻刻二⑰
	5	竹	加賀国篠原合戦	叢書⑨	

	この頃	豊	頼政扇の芝	▽	『頼政追善芝』一風④の改題
14	1	豊	後三年奥州軍記	叢書⑩	
	2	竹	尼御台由比浜出	▼	未翻刻三㉓
	6	竹	新板大塔宮	×	『大塔宮曦鎧』近松⑭の改題
	8	竹	眉間尺象貢	▲	未翻刻五㊸
	9	豊	藤原秀郷俵系図	▼	未翻刻一②
	11	竹	京土産名所井筒	▼	未翻刻一⑦
15	1	豊	蒲冠者藤戸合戦	▼	未翻刻三㉔
	2以前	竹	梅屋渋浮名色揚	▼	未翻刻二⑱
	2	竹	三浦大助紅梅靮	叢書㊳	
	5	豊	本朝檀特山	▲	未翻刻三㉕
	8	竹	信州姨拾山	▲	未翻刻一⑧
	8	豊	楠正成軍法実録	▼	未翻刻二⑲
	11	竹	須磨都源平躑躅	▲	未翻刻一⑩
16	1	豊	源家七代集	▼	未翻刻二⑳
	4	豊	和泉国浮名溜池	▼	未翻刻二㉑
	6	豊	酒呑童子枕言葉	×	『酒呑童子枕言葉』近松⑥の豊竹座上演
	9	竹	鬼一法眼三略巻	▲	未翻刻一⑨

年	月	座	外題	記号	備考
	9以前	豊	殺生石	海音④	
	9以前	豊	忠臣青砥刀	海音⑦	
	9以前	豊	本朝五翠殿	海音④	
	9以前	豊	浄瑠璃古今序	海音④	
	9以前	豊	金平法問諍　忠臣身替物語	▽	『今様かしは木忠臣身替物語』義浄㊤の改題
	10	豊	赤沢山伊東伝記	▼	未翻刻一⑫
17	4	豊	八百屋お七恋緋桜	▽	『八百屋お七』海音③の改題
	4	竹	増補用明天王	▼	未翻刻七(72)
	5	豊	今様傾城反魂香	▼	未翻刻八(73)
	6	竹	伊達染手綱	▽	『丹波与作待夜のこむろぶし』近松⑤の改題
	9	竹	壇浦兜軍記	旧全㊺	
	9	豊	待賢門夜軍	▼	未翻刻四㉝
	10	豊	忠臣金短冊	叢書⑩	
	12	出	前内裏島王城遷	▼	未翻刻七(63)
18	2	豊	お初天神記	▽	『曽根崎心中十三年忌』海音⑦の改題
	4	竹	車還合戦桜	▲	未翻刻三㉖
	4	豊	鎌倉比事青砥銭	▲	未翻刻二㉒
	6	竹	景事揃	×	
	7	竹	重井筒容鏡	▽	『心中重井筒』近松⑤の改題
	7	豊	莠伶人吾妻雛形	▼	未翻刻五㊹
19	2	竹	応神天皇八白幡	叢書㊳	
	5以前	辰	伊勢平氏年々鑑	▽	『伊勢平氏年々鑑』未翻刻④の江戸上演
	5以前	辰	傾情山姥都歳玉	▼	未翻刻六(53)
	5以前	辰	西行法師墨染桜	▽	『西行法師墨染桜』文流㊤の江戸上演
	6	豊	曽我昔見台	▼	未翻刻三㉗
	8	豊	那須与一西海硯	叢書⑪	
	10以前	未	契情我立杣	▼	＊江戸　未翻刻八(74)
	10	竹	芦屋道満大内鑑	新大(93)	
20	1	竹	元日金歳越	▲	未翻刻三㉘
	2	豊	南蛮鉄後藤目貫	×	写本（八種）が伝存　叢書⑪底本は演博本『南蛮銅後藤目貫』
	5	豊	万屋助六二代⿰衤希	▲	未翻刻三㉙
	8	豊	苅萱桑門築紫𨏍	▲	未翻刻四㉞

年	月	座	作品	翻刻	備考
	9	竹	甲賀三郎窟物語	叢書㊳	
元文1	2	竹	赤松円心緑陣幕	▼	未翻刻五㊺
	2	竹	天神記冥加の松	×	
	3	豊	和田合戦女舞鶴	叢書⑪	
	5	竹	十二段長生島台	×	
	5	竹	敵討襤褸錦	▲	未翻刻六(54)
	10	竹	猿丸太夫鹿巻毫	叢書㊳	
	この頃	未	今様東二色	▼	＊江戸 未翻刻四㉟
2	1	豊	安倍宗任松浦箞	▲	未翻刻五㊻
	1	竹	御所桜堀川夜討	叢書㊳	
	1	竹	菅丞相冥加松梅	×	『浄瑠璃本史研究』参照
	7	豊	釜渕双級巴	▲	未翻刻四㊱
	10	竹	太政入道兵庫岬	▼	未翻刻五㊼
3	1	竹	行平磯馴松	叢書㊳	
	4	豊	丹生山田青海剣	▲	未翻刻四㊲
	8	竹	小栗判官車街道	叢書㊵	
	10	豊	茜染野中の隠井	▲	未翻刻六(56)
4	2	豊	奥州秀衡有鬠壻	未戯③	
	4	竹	**ひらかな盛衰記**	旧大(51)	未翻刻八(75)
	8	豊	狭夜衣鴛鴦剣翅	新大(93)	
5	2	豊	鶊山姫舎松	叢書⑪	
	4	豊	本田義光日本鑑	▲	未翻刻五㊽
	4	竹	今川本領猫魔館	▲	未翻刻八(76)
	7	竹	将門冠合戦	▲	未翻刻七(64)
	9	豊	武烈天皇艤	▲	
	11	竹	追善百日曽我	×	
	11	竹	恋八卦柱暦	▽	『大経師昔暦』の改題（戦前に翻刻）近松⑨
寛保1	1	竹	伊豆院宣源氏鏡	▲	未翻刻七(65)
	3	豊	本朝斑女箞	▼	
	5	竹	新うすゆき物語	新大(93)	
	5	豊	青梅撰食盛	▼	未翻刻八(82)
	7	豊	播州皿屋舗	叢書⑪	
	9	豊	田村麿鈴鹿合戦	▼	未翻刻四㊳
2	2	竹	花衣いろは縁起	▼	未翻刻四㊴
	3	豊	百合稚高麗軍記	▼	未翻刻四㊵
	3	肥	石橋山鎧襲	▼	未翻刻四㊶
	4	竹	室町千畳敷	▽	『津国女夫池』の改題（戦前に翻刻）近松⑫

年	月	座	外題	印	備考
	7	竹	男作五雁金	叢書㊵	
	8	豊	道成寺現在蛇鱗	叢書㊲	
	9	豊	鎌倉大系図	▼	未翻刻五㊾
3	3	豊	風俗太平記	▼	
	4	竹	入鹿大臣皇都諍	▼	未翻刻六(56)
	5	竹	丹州爺打栗	▼	未翻刻三㉚
	8	豊	久米仙人吉野桜	叢書㊲	
延享1	3	竹	児源氏道中軍記	▼	未翻刻六(57)
	3	肥	義経新含状	▲	未翻刻八(77) 改題本『後藤伊達曠』が戦前に翻刻
	4	豊	潤色江戸紫	▲	
	9	豊	柿本紀僧正旭車	▼	未翻刻七(66)
	11	竹	ひらかな盛衰記	▽	近世篇参照
	11	竹	八曲筐掛絵	▼	未翻刻七(72)
	12	豊	遊君衣紋鑑	▼	未翻刻六(58)
2	1	明	三軍桔梗原	▼	
	2	竹	軍法富士見西行	叢書㊵	
	2	豊	詩近江八景	▼	未翻刻八(78)
	3	未	萬葉女阿漕	×	写本（一種）が伝存 未翻刻七(67)

年	月	座	外題	印	備考
	4	明	延喜帝秘曲琵琶	▼	
	5	豊	増補大仏殿鸛礎	▼	未翻刻六(59)
	7	竹	夏祭浪花鑑	旧大(51)	
	8	豊	浦島太郎倭物語	▼	未翻刻八(79)
	閏12	陸	唐金茂衛門東鬘	▼	
3	1	竹	楠昔噺	叢書㊵	
	5	竹	追善仏御前	×	『仏御前扇車』近松⑭の改題
	5	竹	追善重井筒	▽	『心中重井筒』近松⑤の改題
	5	豊	酒呑童子出生記	▼	未翻刻五㊿
	7以前	竹	博田小女郎思洲	▽	『博多小女郎波枕』近松⑩の改題
	8	陸	歌枕棣棠花合戦	▼	未翻刻七(68)
	8	竹	菅原伝授手習鑑	旧全㊼	
	10	陸	女舞剣紅楓	▼	未翻刻六(60)
	11	豊	花筏巌流島	▼	未翻刻八(80)
4	2	豊	裙重紅梅服	▼	
	2	陸	鎮西八郎射往来	▼	
	2以降	陸	氷室地大内軍記	×	
	3	豊	万戸将軍唐日記	▼	

年	月	座	外題	翻刻	備考
	7	豊	悪源太平治合戦	▼	
	8	竹	傾城枕軍談	▼	未翻刻三㉛
	10	肥	いろは日蓮記	▼	未翻刻四㊷
	11	竹	義経千本桜	新大(93)	
寛延1	1	豊	容競出入湊	未戯⑫	
	7	豊	東鑑御狩巻	▼	未翻刻七(69)
	8	竹	仮名手本忠臣蔵	新全(77)	
	9	宇	住吉誕生石	▼	
	11	豊	摂州渡辺橋供養	叢書㊲	
2	3	豊	八重霞浪花浜荻	浄翻①	
	4	竹	粟島譜嫁入雛形	▼	未翻刻五(51)
	7	辰	粟島譜利生雛形	×	『粟島譜嫁入雛形』未翻刻(51)の改題
	7	豊	華和讃新羅源氏	真宗	
	7	豊	なには五節句操	×	
			大踊		
	7	竹	双蝶蝶曲輪日記	新全(77)	
	10	肥	日蓮記児硯	▽	『いろは日蓮記』未翻刻㊷の改題
	11	豊	物ぐさ太郎	▼	未翻刻五(52)
	11	竹	源平布引滝	旧大(52)	未翻刻八(81)

年	月	座	外題	翻刻	備考
3	3	豊	手向八重桜	浄翻①	
	6	豊	夏楓連理枕	▼	
	8	肥	新板累物語	▼	未翻刻六(61)
	8頃	豊	傾城買指南	▼	未翻刻八(82)『浄瑠璃本史研究』参照
	11	竹	文武世継梅	▼	未翻刻六(62)
宝暦1	1	豊	玉藻前曦袂	▼	未翻刻七(70)
	2	竹	恋女房染分手綱	▼	未翻刻七(71)
	4	豊	浪花文章夕霧塚	▼	
	7	竹	仕合丸浪花入船	×	
	7	豊	頼政扇子芝	▽	『頼政追善芝』一風④の改題
	8	肥	八幡太郎東海硯	▼	
	10	豊	日蓮聖人御法海	未戯⑩	
	10	竹	役行者大峰桜	叢書⑭	
	12	豊	一谷嫩軍記	▲	未翻刻三㉜
	この頃	肥	親鸞聖人絵伝記	×	
2	2	竹	名筆傾城鑑	▼	
	5	竹	世話言漢楚軍談	▼	
	7	肥	太平記枕言	▼	

年	月	座	外題	備考	注記
	11	竹	伊達錦五十四郡	▼	
	12	豊	倭仮名在原系図	▼	
3	5	竹	愛護稚名歌勝鬨	叢書⑭	
	7	豊	雄結勘助島	▼	
4	1	竹	菖蒲前操弦	▲	
	2	豊	相馬太郎孶文談	▼	
	4	竹	小袖組貫練門平	▼	
	7	豊	義経腰越状	▼	
	10以前	竹	太平記曦鎧	▽	＊京『大塔宮曦鎧』近松⑭の改題
	10	竹	小野道風青柳硯	叢書⑭	
	10頃	竹	恋女房染分手綱	▽	＊京
	12	豊	天智天皇苅穂庵	▼	
5	4	豊	三国小女郎曙桜	▼	
	6	竹	庭涼座鋪操	▼	
	7	豊	双扇長柄松	▼	
	7	竹	庭涼操座鋪	▼	
	11	竹	拍子扇浄瑠璃合	▼	
	11	竹	年忘座鋪操	▼	
6	2	竹	崇徳院讃岐伝記	▼	
	3	豊	義仲勲功記	▼	
	5	竹	業平男今様井筒	▽	＊京『京土産名所井筒』未翻刻⑦の改題
	10	竹	平惟茂凱陣紅葉	▼	
	閏10	豊	甲斐源氏桜軍配	▼	
	この年	豊	和田合戦女舞鶴	▽	近世篇参照
7	1	豊	写価足利染	▼	
	2	竹	姫小松子の日遊	▼	
	3	豊	前九年奥州合戦	▼	
	7	肥	泉三郎伊達目貫	▼	
	9	竹	薩摩歌妓鑑	▼	
	12	豊	祇園祭礼信仰記	叢書㊲	
	12	竹	昔男春日野小町	▼	
8	3	竹	敵討崇禅寺馬場	▼	
	8	肥	聖徳太子職人鑑	▼	
	8	竹	蛭小島武勇問答	▼	
9	2	竹	日高川入相花王	未戯⑦	
	3	豊	芽源氏鶯塚	▼	
	5	豊	難波丸金鶏	▲	
	9	竹	太平記菊水之巻	叢書⑭	

年	月	座	外題	記号	備考
	10	竹	楠正行軍略之巻	×	＊京『太平記菊水之巻』叢書⑭の改題
	12	豊	先陣浮洲巌	▼	
10	3	豊	桜姫賤姫桜	▼	
	7	竹	極彩色娘扇	▼	
	11	竹	年忘座舗操	×	＊大坂曽根崎新地芝居
	12	豊	祇園女御九重錦	叢書㊲	
11	1以前	竹	浪花土産年玉操	×	＊京
	1	竹	安倍清明倭言葉	▼	
	3	豊	八重霞浪花浜荻	▽	＊大坂曽根崎新地芝居 近世篇参照
	5	竹	由良湊千軒長者	▼	
	5	豊	曽根崎模様	▼	＊大坂曽根崎新地芝居
	9	豊	人丸万歳台	▼	
	9頃	豊	下総国累轟	×	近世篇〈補訂篇〉参照
	10	竹	冬籠難波梅	×	
	11	竹	古戦場鐘懸の松	▼	
12	2	豊	三好長慶碪軍談	▼	
	3	竹	花系図都鑑	▼	
	閏4	豊	岸姫松轡鑑	▼	

年	月	座	外題	記号	備考
	6	竹	夏景色浄瑠璃合	×	写本（一種）が伝存
	夏	未	忠臣五枚兜	×	『浄瑠璃本史研究』参照
	9	竹	奥州安達原	半二	
13	3	豊	洛陽瓢念仏	▼	
	4	竹	山城の国畜生塚	叢書⑭	
	4	竹	天竺徳兵衛郷鏡	未戯⑤	
	4	豊	新舞台咲分牡丹	▼	
	7	豊	新舞台扇子錦木	▼	『浄瑠璃本史研究』参照
	8	竹	御前懸浄瑠璃相撲	×	
	12	豊	馬場忠太紅梅箙	▼	
	宝暦年中	竹	あづま摂恋山崎	×	
	宝暦年中	竹	天神記恵松	▽	『天神記』近松⑧の改題
	宝暦末頃	未	鉐石川五右衛門	×	＊京『浄瑠璃本史研究』参照
明和1	1	土	吉野合戦名香兜	▼	
	1	北	須磨内裏甥弓勢	▼	
	1	竹	傾城阿古屋の松	▼	
	3	外	増補姫小松子日の遊四段目	▼	『浄瑠璃本史研究』参照
	4	豊	官軍一統志	▼	

4	肥	祇園祭金閣寺小袖之鏡	×	
4	竹	京羽二重娘気質	▲	
夏	肥	乱菊枕慈童	×	『浄瑠璃本史研究』参照
7	竹	敵討稚物語	▲	
8	外	明月名残の見台	×	
8	扇	増補女舞剣紅葉	▼	
9	外	菊重薫月見	×	
10	豊	嬢景清八島日記	▼	近世篇参照
11	豊	二ツ腹帯	▽	近世篇〈補訂篇〉参照
11	竹	江戸桜愛敬曽我	×	
12	竹	冬桜咲分錦	×	近世篇〈補訂篇〉参照
12	豊	いろは歌義臣鑿	▲	

（義太夫節正本刊行会）

［付記］翻刻の会（同志社大学）による翻刻一覧

享保13　尊氏将軍二代鑑　『同志社国文学』五七・六〇・六二
元文5　武烈天皇艤　『同志社国文学』六四・六六
寛保1　本朝斑女篓　『同志社国文学』四〇
寛保3　風俗太平記　『同志社国文学』三七
延享1　潤色江戸紫　『同志社国文学』九二・九三
延享4　悪源太平治合戦　『同志社国文学』七〇・七五
宝暦2　名筆傾城鑑　『同志社国文学』四五・四六
宝暦8　聖徳太子職人鑑　『同志社国文学』九六・九八
宝暦11　曽根崎模様　『同志社国文学』四一・四三
明和5　よみ売三巴　『同志社国文学』八二
明和6　振袖天神記　『同志社国文学』八八・九〇
寛政9　会稽多賀誉　『同志社国文学』七四・七七

義太夫節正本刊行会《ぎだゆうぶししょうほんかんこうかい》

飯島　満	伊藤りさ	上野左絵	川口節子
黒石陽子	坂本清恵	桜井　弘*	高井詩穂
田草川みずき	富澤美智子	原田真澄	東　晴美
渕田裕介	森　貴志	山之内英明	

（＊は本巻担当者）

義太夫節浄瑠璃未翻刻作品集成《ぎだゆうぶしじょうるりみほんこくさくひんしゅうせい》（第《だい》8期《き》）(75)

ひらかな《ひらがな》盛衰記《せいすいき》

2025年2月25日　初版第1刷発行

編者 ―――――― 義太夫節正本刊行会
発行者 ―――――― 小原芳明
発行所 ―――――― 玉川大学出版部
〒194-8610 東京都町田市玉川学園6-1-1
TEL 042-739-8935　FAX 042-739-8940
http://www.tamagawa.jp/up/
振替 00180-7-26665
装丁 ―――――― 松田洋一（原案）・しまうまデザイン
印刷・製本 ――― 創栄図書印刷株式会社

乱丁・落丁本はお取り替えいたします。

ISBN978-4-472-01697-4 C1091 / NDC912